REAL FÁBRICA DE TAPICES

OBRA MODERNA Y CONTEMPORÁNEA

REAL FÁBRICA DE TAPICES:
OBRA MODERNA Y CONTEMPORÁNEA

EXPOSICIÓN

ORGANIZA Y PRODUCE:
Museo de la Evolución Humana
Fundación Siglo para el Turismo y las Artes de Castilla y León
Consejería de Cultura, Turismo y Deporte
Junta de Castilla y León
Real Fábrica de Tapices

COMISARIADO:
Real Fábrica de Tapices, Juan Luis Arsuaga Ferreras y René Payo Hernanz

COORDINACIÓN DE PRODUCCIÓN:
Raquel Martín Ayuso y Gonzalo de Pedro Andrés

DIRECTOR GERENTE MEH:
Rodrigo Alonso Alcalde

DIRECTOR CIENTÍFICO MEH:
Juan Luis Arsuaga Ferreras

GESTIÓN Y COMUNICACIÓN MEH:
Sandra Canduela Pineda, Gonzalo de Santiago Salinas, Antonio José Mencía Gullón

DIRECTOR GENERAL RFT:
Alejandro Klecker de Elizalde

GESTIÓN Y COMUNICACIÓN RFT:
María Eugenia Ramiro Bargueño

DISEÑO GRÁFICO:
Ciclópea Creativa

PRODUCCIÓN GRÁFICA:
Exce

AUDIOVISUALES:
Taller de Ideas

TRANSPORTE Y MONTAJE:
Real Fábrica de Tapices y Museo de la Evolución Humana

CATÁLOGO

EDITA:
Museo de la Evolución Humana
Fundación Siglo para el Turismo y las Artes de Castilla y León
Consejería de Cultura, Turismo y Deporte
Junta de Castilla y León

AUTORES:
René Payo Hernanz, Juan Luis Arsuaga Ferreras, Alejandro Klecker de Elizalde y Raquel Martín Ayuso

TEXTOS:
René Payo Hernanz, Juan Luis Arsuaga Ferreras, Alejandro Klecker de Elizalde y Raquel Martín Ayuso

FOTOGRAFÍAS E ILUSTRACIONES:
Real Fábrica de Tapices

DISEÑO Y MAQUETACIÓN:
Ciclópea Creativa

IMPRESIÓN Y ENCUADERNACIÓN:
Imprenta Amábar

AGRADECIMIENTOS:

Deutsche Bank, Fundación Banco Santander, Ministerio de Asuntos Exteriores, Unión Europea y Cooperación, Galería Fernando Pradilla y Alberto Baraya, Galería Nieves Fernandez y Laura Gibellini, Iloema Arte Textil, Felipao, Martina Rodriguez Morán, María Cano, Concha García, Laura Torrado, Gianluca Lattuada y otros coleccionistas particulares

DL: VA 834-2025
ISBN: 978-84-92572-87-8

REAL FÁBRICA DE TAPICES

OBRA MODERNA Y CONTEMPORÁNEA

ÍNDICE

Gonzalo Santonja Gómez

Consejero de Cultura, Turismo y Deporte

Junta de Castilla y León

En un año especialmente importante para el Museo de la Evolución Humana, por celebrar sus tres lustros de andadura, y para los Yacimientos de la Sierra de Atapuerca, cuya declaración como Patrimonio Mundial por la Unesco cumple 25 años, es muy acertado presentar una exposición que muestra lo más selecto de otra gran institución, como es la Real Fábrica de Tapices. A lo largo de estos quince años, este Museo ha conseguido convertirse en un centro científico y cultural de primer orden; un espacio en el que se unen la ciencia y la cultura en un diálogo intenso que hace partícipe a la sociedad. Este centro, junto con el resto de los espacios del Sistema Atapuerca, configuran la mayor red de investigación, socialización y divulgación de nuestra Comunidad; un sistema que siempre ha sabido rodearse de los mejores, creando sinergias como estrategia para fomentar el desarrollo cultural y proyectar la difusión e imagen del Museo. Exposiciones como esta cumplen con estos objetivos y con la finalidad de transmitir a la sociedad el valor de nuestro legado patrimonial, en este caso, el que la Real Fábrica de Tapices atesora.

Esta muestra potenciará aún más, si cabe, la oferta expositiva del MEH. A lo largo de la historia, el color ha sido un vehículo de expresión y simbolismo: desde las pinturas rupestres de la antigüedad hasta las vibrantes obras de arte contemporáneo. Hace unos cuarenta mil años, los artistas prehistóricos obtenían los colores de fuentes naturales como la tierra, la grasa animal o minerales como el ocre y el carbón vegetal. Estos pigmentos se utilizaban principalmente para crear arte en cuevas, con una paleta de colores limitada a rojos, amarillos, marrones, negros y blancos. Ese simbolismo pictórico primigenio que plasmaron aquellos primeros artistas vuelve ahora al Museo en forma de tapiz; una obra de tejido en la que se reproducen figuras semejantes a las de una pintura. Este proyecto expositivo es también un homenaje y un agradecimiento a la labor desarrollada por la Real Fábrica de Tapices, institución con más de trescientos años de actividad, que ha sabido, en cada época, adaptarse a las modas y estilos imperantes, convirtiéndose en un referente de calidad a nivel internacional.

Presentación
Alejandro Klecker de Elizalde
Director General de la Real Fábrica de Tapices

La Real Fábrica de Tapices, a lo largo de sus más de trescientos años de actividad ininterrumpida ha sabido, en cada época, adaptarse a las modas y estilos que, de la mano de clientes, cartonistas o decoradores, han ido influyendo en nuestros trabajos. Cambios cromáticos, en las decoraciones de borduras o cenefas, para abordar nuevas corrientes como la que realizaría Andrea Proccacini en los primeros años de la RFT con su serie de El Quijote, pasando por supuesto por Goya, Francisco Amérigo, Manuel Benedito, José María Sert,... para llegar al siglo XXI con Manuel Valdés, Alfonso Albacete, Agustín de Celis, Keiko Mataki o diseñadores como Agatha Ruiz de la Prada, Alberto Corazón, Felipao, Martina, Estefanía, sin dejar de lado a nuestros propios cartonistas, algunos de ellos de primer orden, aunque hayan quedado a veces eclipsados por los grandes pintores de Cámara del XVIII.

La exposición que van a tener la oportunidad de visitar en el Museo de la Evolución Humana en Burgos es un recorrido, inédito hasta la fecha, de la producción de bocetos y cartones para tapices, alfombras de nudo español y nudo turco, reposteros y una colección de textiles que se han recogido de clientes, instituciones públicas y privadas y fondos propios.

Estamos seguros que la exposición les mostrará una Real Fábrica, dinámica, fundiéndose continuamente con los cambios estéticos o de gustos en la decoración, incluyendo la reducción de tamaños de piezas, dado el menguante espacio actual de nuestras residencias.

Especial agradecimiento al Consejero de Cultura, a su Viceconsejera y al personal del Museo, a los primeros por la visión y la decisión de realizar esta exposición en la Comunidad de Castilla y León y a los segundos, por el abordaje a su casa y la paciencia y dedicación para conseguir llevar a buen puerto la exposición.

Una brevísima historia de los tapices

René Jesús Payo Hernanz

Los orígenes

El tapiz es uno de los objetos decorativos que, desde la Antigüedad, sirvió para cubrir paredes, separar y generar nuevos espacios, mejorar la sensación térmica de los ámbitos internos, decorar residencias y transmitir mensajes religiosos y civiles, aunque también y sobre todo desde la Baja Edad Media pudieron ser empleados como colgaduras externas para remarcar las grandes celebraciones[1] contribuyendo a transformar la imagen de las ciudades[2].

Tradicionalmente, entendemos como tapiz aquellos productos textiles que desarrollan imágenes o motivos decorativos tejidos, con hilos de diferentes colores y materiales, siendo fruto, normalmente, de dos técnicas en virtud de los lizos o cordelillos que unen las bandas o secciones de la urdimbre que se encuentran en la extremidad superior. Por un lado, se distinguen los tapices de “alto lizo” fruto de la colocación de la urdimbre y del aparato que la sujeta en forma vertical. Por otro, encontramos el “bajo lizo” en el que el procedimiento se realiza en horizontal, permitiendo una mayor rapidez y abaratamiento del proceso. Junto a los tapices, propiamente dichos, existieron otros productos textiles que, desarrollados con otras técnicas, podían dar lugar, en ocasiones, a confusiones con los tapices. Tales son los casos de los paños bordados, de los paños pintados a imitación de tapices o los reposteros.

Tenemos constancia de la fabricación y empleo de tapices en periodos muy antiguos de la Historia. Así, sabemos que en el Egipto faraónico se manufacturaban estos productos pues en algunas pinturas murales aparecen representaciones de telares en los que parece que se estaban produciendo tapices. También los antiguos griegos debieron de fabricarlos, como se desprende de algunas representaciones de sus cerámicas, siendo en esta cultura donde nacería el famoso mito de la tejedora Aracne[3].

[1] M. Jarry, *La Tapisserie des origins á nos jours*, Paris, 1968.
[2] Un trabajo clásico sobre la historia del tapiz lo tenemos en Mª. L. Plourin, *Historia del tapiz en Occidente*, 1955.
[3] J. Coffinet, *Arachne ou l'Art de la tapisserie*, Ginebra, 1972.

Tenemos constancia de que, en la Alta Edad Media, tanto en Bizancio como en el mundo latino, los tapices alcanzaron un notable desarrollo. Entre las producciones más antiguas conservadas destaca el famoso tapiz de Hestia de Egipto. Se trata de una pieza de comienzos del siglo VI, conservada en la Colección Dumbarton Oaks de Washington, que representa a la diosa Hestia protectora del hogar, manifestando la pervivencia de deidades paganas en momentos tan tardíos como este. De una fecha cercana, pero con una iconografía cristiana, es el tapiz de la Virgen conservado en el museo de Cleveland, siendo esta una interesante producción egipcio-bizantina que, en gran medida, reproduce en textil los modelos de los iconos pintados, evidenciando claramente el rico trasvase entre artes.

La plena Edad Media

La pieza más antigua conservada de todas las que se realizaron en Europa es el tapiz de la Iglesia de San Gereón de Colonia, que encuentra sus modelos en el mundo bizantino y sirio, pero también en algunas miniaturas europeas, que puede fecharse en el siglo XI, y que actualmente se halla fragmentada en varios museos[4].

Una de las grandes obras decorativas vinculadas a este mundo es el denominado Tapiz de Bayeux, que en sentido estricto es un lienzo bordado y que también es conocido como Tapiz de la Reina Matilde. Fue ejecutado en el siglo XI y en él aparecen narrados los preparativos de la conquista normanda de Inglaterra que culminaría en la famosa batalla de Hasting[5]. De fines del siglo XI o comienzos del XII es el denominado tapiz de la Creación conservado en la catedral de Gerona. Al igual que el ejemplo anterior se trata de un paño bordado siguiendo la técnica denominada de pintura a la aguja[6].

Del periodo románico son los tapices de Överhogdal, encontrados en la iglesia de esta localidad sueca y que han sido datados entre finales del siglo XI y comienzos del XII y cuya significación iconográfica sigue siendo aún muy discutida. De hacia 1200 son los tres tapices de la catedral de Halbetrstadt, que muestran ya una clara

[4] G. Wingfield Digby, *Victoria and Albert Museum. The Tapestry colecction Medieval and Renaissance*, 1980, N° 10.

[5] S.A. Brown, *The Bayeux Tapestry: history and bibliography*. Woodbridge, Boydell Press, 1998; David J. Bernstein, *The Mystery of the Bayeux tapestry*, London, Weidenfeld & Nicolson, 1986.

[6] M. Castiñeiras, *El tapiz de la Creación*, Girona, 2011,

[7] L. Rodríguez Peinado, "El arte textil en el siglo XIII, Cubrir, adornar y representar, una expresión de lujo y color", en *Alfonso X el Sabio. Las Cantigas de Santa María*, Vol II, 2010, pp. 341-374.

evolución hacia planteamientos figurativos del románico final. Durante el siglo XIII, se siguieron realizando este tipo de producciones de las que, lamentablemente, no nos han llegado ejemplos, aunque encontramos representaciones en algunas obras miniadas[7].

El siglo XIV. Los tapices parisinos

Se inicia, en los territorios europeos, el periodo de plenitud de la producción de tapices en el siglo XIV, teniendo como ámbitos productivos esenciales las ciudades de París y de Arrás. La obra más importante de todo este periodo es el conjunto del Apocalipsis de Angers. Esta tapicería, de la que se conservan seis piezas, destaca, además de por su magnífica conservación y por la notable riqueza de sus representaciones inspiradas en miniaturas del momento, por tener una historia perfectamente documentada. Se ejecutó siguiendo los diseños de Jean Bondol, también conocido como Juan de Brujas, que fue el pintor oficial del rey Carlos V de Francia. Fue encargada hacia 1375 por Luis I, duque de Anjou y hermano de este monarca, siendo realizada en la ciudad de París, por Robert Poisson en los talleres de Nicolás Bataille quien además de trabajar para la casa real francesa recibió encargos de Amadeo VI de Saboya. Desapareció durante la Revolución Francesa, siendo recuperada después de muchas vicisitudes en 1843, custodiándose en la actualidad en el castillo de esta ciudad[8].

En el mismo taller de Bataille se produjo el conjunto de los tapices de los *Nueve héroes* que fue realizado hacia 1385. Este grupo está conservado en la actualidad en el Museo de los Claustros de Nueva York. El tema representado se inspira en un texto de Jacques de Longuyon, de comienzos del siglo XIV, en el que se narraba la historia de nueve guerreros, paganos, judíos y cristianos que encarnaban los ideales de la caballería europea[9].

El siglo XV. Arrás, Tounai, Bruselas

Junto a París, el otro gran centro productivo de tapices a partir del siglo XIV fue la ciudad de Arrás que había alcanzado en estos momentos un gran protagonismo como ciudad textil y que desde comienzos del siglo XV fue

[8] J. Roguero, “El Apocalipsis de Angers (s. XIV). La gestualidad de una obra maestra”, *Letras. Studia Hispanica Meievalia*, 2 (1), 2010, pp. 225-267.
[9] J.Mª. de Francisco Olmos, “Los Nueve de la Fama. Los modelos caballerescos medievales y la creación de una heráldica inventada”, Hidalguía, Nº 387, 2021, pp. 143-198.
[10] F. Jourbert, *La tapisserie au Mayen Age Ouest-France*, Rennes, 1981.

uno de los puntos esenciales de producción tapicera en Europa[10]. Se sabe que en los años centrales de esta centuria trabajaron en esta urbe al menos 60 maestros tapiceros, documentándose la participación de múltiples cartonistas, de distintas procedencias, que proporcionaban las bases creativas sobre las que se tejieron estos tapices. Desde 1477, Arrás entraría en decadencia a raíz del asedio francés que sufrió esta ciudad. Los maestros de los talleres liceros de esta población dieron lugar a notables producciones como el Tapiz de la Pasión o los tapices de caza de Devonshire del Victoria And Albert Museum de Londres o los que se fabricaron, en torno a 1400, para la catedral de Tournai[11].

Tournai fue también un importante centro de producción de tapices. En esta urbe destacaron algunos importantes maestros como Paschier Grenier, también conocido como Pasquier Grenet que, además de actuar como tejedor, fue un destacado comerciante de tapices, cuya actividad profesional fue continuada por algunos de sus sucesores en los años centrales y en la segunda mitad del siglo XV. De entre las piezas de este notable centro productivo destaca la serie de la catedral de Zamora con las historias de la Guerra de Troya, asignables a los talleres de Tournai más una quinta pieza con la Historia de Tarquino Prisco, muy probablemente ejecutada en Arrás. De Tournai son también los tapices de la Colegiata de Pastrana, que narran las campañas portuguesas en el norte de África[12], ordenadas por el rey Alfonso V de Portugal, y que fueron tejidos en torno a 1471[13].

Coincidiendo con el comienzo de la decadencia de Arrás a raíz del sitio y de la conquista de los franceses, la ciudad de Bruselas, capital de Brabante, se convertirá en el más importante núcleo de producción de tapices europeos, aunque hemos de señalar que esta urbe ya había tenido un notable protagonismo en este campo en momentos anteriores[14]. Desde mediados del siglo XV tenemos constancia de importantísimas producciones cuyos cartones eran realizados, en muchas ocasiones, por algunos de los pintores conocidos como "primiti-

[11] A. Guesnon; "Le hautelisseur Pierre Feré d'Arras, auteur de la tapisserie de Tournai (1402)", *Revue du Nord*, 1910, pp. 201-215.

[12] M.A. Bunes Ibarra: "Los tapices de Pastrana y la expansión portuguesa por el norte de África ", en *Las hazañas de un rey. Tapices flamencos del siglo XV en la Colegiata de Pastrana*, Madrid, 2010, pp 13-26.

[13] E. García Marchante, *Los Tapices de Alfonso V de Portugal*, Editorial Católica Toledana, Toledo, 1929

[14] Desde el año 1340 tenemos constancia de la existencia en Bruselas talleres de tapicerías en los que se fabricaban series y piezas sueltas. Estos artesanos formaron la "corporación del tapiz" que era una subdivisión de la de tejedores (M. Crick-Kuntziger, "La tapisserie bruxelloise au XV siecle" en *Bruxelles au XVe siecle*, Bruselas, 1953).

vos" flamencos y que, en ocasiones, mantenían el mismo tamaño que las pinturas que les servían como base inspirativa, siendo en principio obras más pequeñas que las que se producían tanto en Arrás como en Tournai. Destacan algunas piezas como el Tapiz de la Adoración de los Magos de la Catedral de Sens ejecutado entre 1466-1488 y que evidencia claramente su derivación de modelos pictóricos.

En estos años finales del siglo XV, los talleres bruselenses destacaron también por un tipo de producción denominada como "*tapis d'or*", que recibía este nombre por el empleo de hilos de oro, lo cual daba una notable imagen de luminosidad y riqueza a estas producciones que alcanzaron gran fama al filo de 1500, conservándose algunas notables obras de estos momentos como el tapiz denominado del Triunfo de Cristo o Tapiz de Mazarino, conservado actualmente en la National Gallery de Washington.

En alguna ocasión, se ha señalado que el importantísimo ciclo de tapices custodiados en el Museo de Cluny (París) bajo el título de la *Dama del Unicornio*, ejecutado en las postrimerías del siglo XV, siguiendo el estilo *millefleurs* o "mil flores" por la decoración de sus fondos y cuyos cartones pudieron ser realizados en París, pudo ser tejido en la ciudad de Bruselas, aunque no hay unanimidad entre los investigadores para asignar este origen a esta serie[15]. En cualquier caso, nos hallamos ante uno de los conjuntos más bellos y exquisitos de este arte de todos los tiempos.

El siglo XVI. El triunfo de Bruselas

El siglo XVI fue uno de los periodos más importantes dentro de lo que fue la historia de los tapices. Flandes siguió siendo uno de los ámbitos más notables de producción de obras de estas características y Bruselas uno de sus más notables centros productivos. En estos momentos, los talleres de tapices flamencos, aunque siguieron manteniendo los influjos de los pintores y artistas de estas tierras comenzaron a ser permeables a otro tipo de influencias meridionales. Durante esta centuria, la fabricación de tapices en Bruselas llegó a ser un negocio tan

[15] D. Teodorescu, "La Tenture de la Dame à la Licorne. Nouvelle lecture des armoiries", en *Bulletin Monumental*, T CLXVIII, 2010, pp. 355-367, 2010.

[16] P. Junquera y C. Herrero Carretero, *Catálogo de tapices de Patrimonio Nacional*, T. I, Madrid, 1986.

[17] M. W. Ainsworth, *Bernard van Orley as a designer of Tapestry*, 1982.

lucrativo que incluso se promulgaron leyes que trataron de evitar falsificaciones, intentando controlar la calidad de estas piezas. Este centro productivo bruselense contó con el enorme impulso que le proporcionarían importantes clientes ligados a los estamentos nobiliario y eclesiástico europeos, destacando de una manera muy especial las distintas casas reinantes entre las que la de los Austrias españoles se nos presenta como una de las más importantes demandantes de estas obras[16].

Una de las figuras más significativas en el campo de la creación de cartones fue Bernard Van Orley (1492-1541)[17] que supo unir los usos estéticos de la tradición gótica flamenca con las formas más naturalistas que procedían de Italia, aunque no fue este artista flamenco el único que suministraría composiciones para este tipo de creaciones.

Fue Carlos V, siguiendo la estela de sus antepasados, uno de los personajes que más contribuyó a la valorización de estas obras, llegando a impulsar la realización de alguna serie original a través de la que se ensalzaban sus grandes hechos militares. Nos referimos a la Conquista de Túnez, que fue encargada al tapicero Guillermo Pannemaker en 1548 acabándose en 1554, empleando los más ricos materiales disponibles. Consta de doce piezas diseñadas por Juan Vermeyen, que había tomado notas directamente durante esta campaña a la que acompañó al emperador. Todas estas obras nos muestran cómo, a partir de estos momentos, van a ser frecuentes entre los temas de los tapices no sólo historias de carácter religioso, mitológico, literario o que narraran hechos de la historia antigua sino también obras que reflejaran acontecimientos coetáneos[18].

Gran trascendencia, desde una perspectiva estética tuvieron los cartones que algunos artistas italianos realizaron para la ejecución de tapices y que serían empleados tanto en talleres meridionales como flamencos. Sabemos que el papa León X encargó al tejedor Pieter Van Aelst III una serie de tapices que completaran los frescos de la Capilla Sixtina en su parte baja. Estas producciones estuvieron inspiradas en cartones de Rafael quien introduciría sistemas complejos de perspectiva siendo necesaria la utilización de hilos más finos para

[18] J.L. González García: "Pinturas tejidas. La Guerra como arte y el arte de la guerra en torno a la empresa de Túnez (1535)", Reales Sitios. N ° 174, 2007, pp. 24-47.

[19] E. Muntz, Les tapisseries de Raphael au Vatican dans les principaux musees de l'Europe, Paris,1987.

[20] C. Herrero Carretero, Tapices de Rafael para la Corona de España, Madrid, 2020.

generar unos mejores efectos pictóricos. Terminados los cartones en 1516 fueron enviados a Bruselas para que se procediera al tejido. Después de hacerse este encargo se hicieron, sobre la base de estas mismas composiciones, otras series[19] como la que se ejecutó para el rey Felipe II en 1560 y que forma parte de las colecciones de Patrimonio Nacional[20].

Los conflictos religiosos que ensangrentaron los Países Bajos en la segunda mitad del siglo XVI, hicieron que se desarrollara una cierta crisis en la producción de tapices en estos territorios.

El siglo XVII. Entre Flandes y Francia

A pesar de las dificultades, Bruselas seguirá siendo, a lo largo de este siglo, uno de los más notables centros de producción licera europea. Al igual que en momentos anteriores, los tapices continuaron, en muchas ocasiones, derivando de las producciones de grandes pintores teniendo en estos momentos una notable importancia la figura de Rubens a la hora de generar cartones que sirvieran de base. Fueron muy importantes sus destacadas series de la Historia de Decius Mus que fue tejida en los talleres de Geubels y Rus, que se contaban entre los más importantes del momento. También, son muy notables las series de la Historia de Constantino y la Historia de Aquiles, que fueron manufacturados en los talleres de Van der Strecke y Jan Ras[21]. Pero, sin duda, la serie de cartones más notables realizados por este artista para un grupo de tapices fue la del Triunfo de la Eucaristía, encargados por Isabel Clara Eugenia[22]. Junto a Rubens, hemos de situar la figura de Jordaens como gran pintor de cartones en los territorios flamencos de estos momentos, destacando sus escenas campestres, aunque también idearía otras composiciones basadas en asuntos de carácter clásico[23]. En estos años, junto algunos de los talleres a los que ya nos hemos referido destacan también el de Martín Reymboust, el de los Leyniersy el de los Van den Hecke.

Amberes, que había tenido una cierta importancia como centro licero en el siglo anterior, continuó en esta centuria con esta actividad destacándose el taller de Joos van der Beken. También las ciudades de Enghien y Au-

[21] M. Jarry, *La Tapisserie des origins á nos jours*. París, 1968, p. 168.
[22] Ch. Scribner, *The Triumph of the Eucharist Tapestries Designed by Peter Paul Rubens.*, Princeton University, Princeton, 1977.
[23] K. Nelson, *Jacob Joordaens, Designs for tapestry*, Brepols, 1998.
[24] J. Coural, *Les Gobelins*. París, 1989.

dernade destacaron en estos momentos sobre todo ligando su producción a la fabricación de los denominados "tapices de verduras" que tuvieron un enorme éxito a lo largo de todo este siglo. La importancia de los distintos talleres flamencos va a comenzar a decaer en la segunda mitad del siglo XVII coincidiendo con la consolidación de otro gran centro productivo.

Un hecho de enorme relevancia dentro de la historia del tapiz fue la creación en 1662, por parte del rey Luis XIV, de la famosa fábrica de los gobelinos que fue dirigida por el pintor real Charles Le Brun, en la que se establecieron talleres de alto y bajo lizo y a la que estaban adscritos varias decenas de pintores para la creación de cartones . El nombre de estos talleres procedía de Jehan Gobelins. Fue este un famoso tintorero que trabajó en los años centrales del siglo XV y que alcanzaría una notable fama por el color rojo escarlata que conseguía. Con esta actuación regia, impulsada por la figura de Colbert y detrás de la cual también se hallaba el intento de impulsar otras creaciones de lujo como los muebles, se producía un intento de unión de los más importantes maestros liceros, algunos de los cuales procedían de Flandes, que se hallaban instalados en París en los años centrales del siglo XVII.

El siglo XVIII. La Real Fábrica de Tapices de Santa Bárbara

Con la llegada del siglo XVIII, la industria licera bruselense entró, definitivamente, en un periodo de total declive que le llevaría a su casi total desaparición[25], aunque esta centuria sería sumamente rica en el desarrollo de algunas importantes experiencias manufactureras ligadas a este arte.

Gran importancia tuvo la creación en Madrid, por parte de Felipe V, de la Real Fábrica de Tapices de Santa Bárbara que en gran medida se derivó de la necesidad de proveer a la monarquía española de este tipo de piezas ante la imposibilidad de adquirir estos productos en los territorios flamencos[26]. Se fundó en el año 1721, procediendo a contratar al maestro licero de Amberes Jacobo Van der Goten, que iniciaría sus actividades a partir de 1734, tomando en principio como modelos los cartones de David Tenier III y Philips Wouerman. La fábrica primitiva de telar de "bajo lizo", se situó en la llamada Casa del Abreviador, vecina a la Puerta de Santa Bárbara.

[25] W. G. Thomson, *History of Tapestry*, Londres 1973, p. 471.
[26] VV.AA., *La Real Fábrica de Tapices. 300 años*, 1721-2021. Madrid, 2021.

Por otro lado, se instalaría, la fábrica de telar de "alto lizo", en la Casa de la Tapicería de su Majestad, en la Calle de Santa Isabel, quedando posteriormente unificados ambos talleres. En el reinado de Fernando VI, la fábrica tuvo un notable impulso introduciéndose los cartones de algunos pintores italianos y franceses al servicio de la corte borbónica como Amigoni, Van Loo, Giaquinto o Houasse, junto a otros artistas españoles como Andrés de la Calleja y Antonio González Ruiz, destacándose algunas series sumamente exitosas como las que narraban las historias de don Quijote.

Fueron, sin embargo, los reinados de Carlos III y Carlos IV los que vieron el más notable desarrollo de esta fábrica. Antonio Rafel Mengs dirigió esta manufactura contando con la ayuda de Francisco Bayeu, quedando, desde estos momentos, dotados los cartones de unos caracteres cada vez más pintoresquistas y costumbristas, contratándose para ello a jóvenes pintores como Mariano Salvador Maella, José del Castillo, Zacarías González Velázquez, José Camarón, Ramón Bayeu, etc. Pero, de entre todos destacó la figura de Francisco de Goya que trabajó para la fábrica desde 1775 a 1792[27], en que se alejó definitivamente de estos trabajos a raíz de la grave enfermedad que le afectó en aquellos momentos. La Guerra de la Independencia supuso un momento de notable crisis para esta fábrica que se prolongó en las décadas posteriores[28]. A finales del siglo XIX, se trasladó su actividad a un local de la calle Fuenterrabía construido entre 1881 y 1891 en estilo neomudéjar por José Segundo de Lema. En 1982, recuperó su condición de Real. En la actualidad la Real Fábrica de Tapices, es una fundación sostenida esencialmente con fondos públicos que tiene entre sus funciones, además de impulsar la creación de nuevas obras, preservar su notable patrimonio histórico, restaurar obras singulares y difundir la cultura del tapiz.

[27] VV.AA., *Goya en Madrid. Cartones para tapices 1775-1794*, Catálogo de Exposición, Madrid, Museo Nacional del Prado, 2014.
[28] L. de la Calle Vivian, *Cien años de tapiz español. La Real Fábrica de Tapices 1900-2000*, Tesis Doctoral. Universidad Complutense, 2008; L. de la Calle Vivian, "La Real Fábrica de Tapices de Madrid: muerte y resurrección de un arte", *Anales de Historia del Arte*, T. 20, 2010, pp. 243-270.

De colores se visten las flores

Juan Luis Arsuaga

Es curioso pero el mundo no era multicolor hasta hace relativamente poco tiempo, hablando, claro está, en términos geológicos. Los más viejos recordamos los dioramas que se hacían de la Era Primaria, o Paleozoico, el mundo de los peces y los anfibios. Además de los vertebrados que nadaban o se arrastraban fuera del charco había también grandes libélulas volando por entre unos bosques de helechos gigantes. Te acercabas al cartel y decía: "Carbonífero". Así que pensábamos que en aquellos lejanos tiempos el mundo terrestre era monócromo, de color verde. Luego supimos que todos aquellos ecosistemas pantanosos terminaron produciendo los combustibles fósiles, el carbón y el petróleo. O sea, que lo verde terminó siendo negro. Luego vino la Era Secundaria, o Mesozoico, que en las reconstrucciones de los dioramas antiguos sustituía los anfibios por reptiles y los helechos arborescentes por coníferas. Ahí estaban los grandes dinosaurios dominando la tierra, muy satisfechos de sí mismos, y los pterosaurios dominando los cielos. Te acercabas al cartel y decía: "Jurásico". Diferente nombre, pero el mismo color, que seguía siendo el verde. Sin embargo, la siguiente Era, el Cenozoico como se dice ahora, pertenecía a los mamíferos, y el pequeño mundo de la vitrina se llenaba de colores. Habían aparecido las plantas con flores, y con ellas las abejas y las mariposas. Además, los nuevos árboles cambiaban el color de las hojas con las estaciones. En realidad, el gran cambio se había producido en el último periodo de la Era Secundaria, llamado Cretácico, en el que ya había mamíferos viviendo con los dinosaurios. Al final del Cenozoico llegó el ser humano, que ama los colores tanto como las abejas y las mariposas. Empezó por pintarse de colores a sí mismo, y terminó pintándolo todo, hasta las paredes de sus cuevas. El color es la vida para unos animales como nosotros, unos primates diurnos y cromáticos. Pero para pintar el mundo necesitamos pigmentos, y esos los hemos buscado en los minerales, y a veces en los animales. La exposición *Real Fábrica de Tapices. Obra moderna y contemporánea* es perfecta para el Museo de la Evolución Humana. Llenarlo de colores es celebrar la vida y la evolución. Solo nos lamentaremos de que no podamos percibir la luz ultravioleta, como los insectos.

La Real Fábrica de Tapices: Historia y actividad

Fachada interior al jardín

El edificio, levantado en ladrillo y en estilo neomudéjar, ocupa toda una manzana y alberga en su interior un amplio jardín tintóreo

La Real Fábrica de Tapices, fundada por el rey Felipe V en 1721, nace ante la necesidad de disponer de una manufactura de tapices de calidad en España, que logre abastecer a la Corona de estos suntuosos textiles para la decoración y acomodo de los Reales Sitios.

Felipe V (Versalles, 1683-Madrid 1746), primer rey de la dinastía Borbón en España, es nombrado sucesor al trono al morir Carlos II sin descendencia. Criado en el refinado y lujoso ambiente de la corte de Versalles, hereda el gusto de su abuelo Luis XIV por las artes y se convertirá, ya en España, en un gran coleccionista y mecenas, ordenando la construcción de nuevos palacios y reformando los ya existentes. Asimismo, promueve y fomenta la industria y empleo en España, creando numerosas Reales Fábricas que abastezcan a la Corona de productos manufacturados, evitando así las importanciones.

Frente a la ausencia de maestros tejedores expertos en el oficio, Jacobo Vandergoten, llegado de la ciudad de Amberes, a petición del rey, se hará cargo de la dirección de la Fábrica, realizando los encargos demandados por la Corona y siempre bajo la protección de la misma, si bien, pronto aumentando su clientela a nivel particular.

De este modo, la Real Fábrica de Tapices desarrollará una actividad textil que se va a mantener de forma ininterrumpida hasta nuestros días, manteniendo los ancestrales procedimientos de manufactura y constituyendo, en la actualidad, un referente de calidad a nivel internacional.

Jacobo Vandergoten (Bruselas 1659-Madrid 1724), procedente de la ciudad de Amberes, llega a España acompañado por sus seis hijos, tras aceptar el ofrecimiento de Felipe V como maestro de su nueva fábrica de tapices. Esta decisión será considerada como alta traición y conllevará varios meses de encarcelamiento en el castillo de esta ciudad. Ya en España, comienza a desarrollar su labor de dirección técnica de la fábrica de Santa Bárbara, creando nuevos tapices para la corona basados en modelos al estilo de pintores como Teniers o Wouwermans.

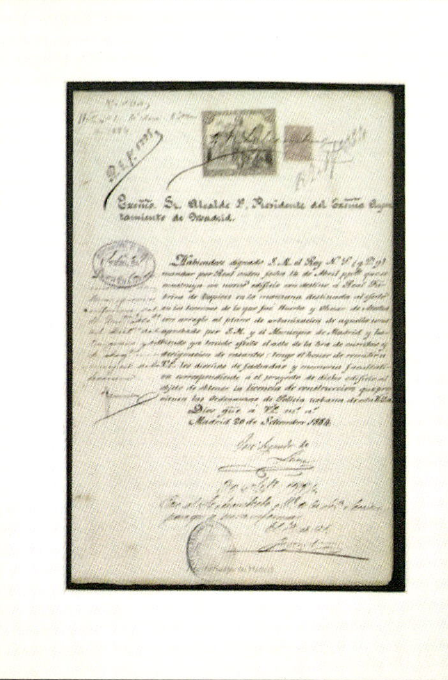

Excmo. Sr. Alcalde P. Presidente del Excmo. Ayuntamiento de Madrid.

Madrid 20 de Setiembre 1884.

Fue en un antiguo edificio conocido como la Casa del Abreviador que se utilizó después como almacén de pólvora de los Guardias de Corps, donde se establece la Real Fábrica de Tapices de Santa Bárbara, denominada así por ser esta santa la patrona de la Guardia Real y por situarse al lado de la puerta de muralla que llevaba este mismo nombre.

Aquel primer edificio, que a finales del XIX se encuentra en estado ruinoso y cuya industria y actividad resultan molestas, es derribado para liberar terrenos en el centro de Madrid. Alfonso XII ordenará entonces a su arquitecto real, José Segundo de Lema, la construcción de uno nuevo en terrenos cedidos por la Corona, en el olivar y huerta del convento de Atocha. Nace así, en 1888, la nueva sede que da continuidad a la Real Fábrica de Tapices, declarada hoy en día Bien de Interés Cultural por la Comunidad de Madrid.

Orden dada por Alfonso XII para la construcción de la nueva sede de la Real Fábrica de Tapices

Copia del original en archivo de 1884

0,33 x 0,43 m

Archivo Histórico Real Fábrica de Tapices

Esta serie de acuarelas, supone un relevante testimonio del aspecto de la antigua sede de Real Fábrica de Tapices, cuando aún estaba situada en el comienzo de la calle Santa Engracia en Madrid. Este edificio, será derribado en 1882 para permitir la expansión urbanística de la zona.

Uno de los pintores de Real Fábrica de Tapices, José María Florit y Arizcun nos muestra, a través de estas composiciones, el aspecto de aquel antiguo edificio, sus fachadas y sus estancias más importantes al interior. El edificio, al no haber sido levantado para esta actividad concreta, tuvo que ser remodelado y ampliado en numerosas ocasiones para albergar telares, obradores, almacenes y oficinas y para mejorar su distribución y armonizar su carácter industrial con el ámbito doméstico que requería la vivienda de maestros, oficiales y aprendices.

José María Florit se forma en la Escuela de Bellas Artes de San Fernando, donde fue discípulo de Amérigo. Cultivó el paisaje y el retrato, concurriendo a varias Exposiciones Nacionales. Fue conservador de la Real Armería de Madrid y autor de distintos estudios sobre tapices.

Artistas de la Real Fábrica de Tapices

Pescadores sacando una red del agua

Cartón para tapiz

Perteneciente a la serie *Pescadores napolitanos*

Mariano Salvador Maella y Zacarías González Velázquez

1785

La primavera

Cartón para tapiz

Perteneciente a la serie *Las estaciones del año*

Jacopo Amigoni

s. XVIII

El Quitasol

Cartón para tapiz

Acuarela sobre cartón

Copia del original de Francisco de Goya.

Segunda serie 1777 realizada para el comedor de los Príncipes de Asturias en el Palacio de El Pardo

0.92 x 1.25 m.

s. XX

0223 TAP

Archivo Histórico Real Fábrica de Tapices

Desde los comienzos de Real Fábrica de Tapices, artistas del más alto nivel desarrollaron para ella parte de su actividad. Entre los más destacados, estarán los arquitectos-decoradores y los pintores de cámara del rey, que ostentaron el cargo de directores artísticos de la misma, fijando y las representaciones que habrían de mostrarse en los tapices. De su mano, un importante grupo de jóvenes pintores trabajará siguiendo las directrices marcadas, pero imprimiendo su personal huella a los diseños de cartones para tapices y dotándolos de nuevos modelos, como ocurre en el caso de Francisco de Goya. Todos ellos marcaron una etapa de esplendor en el siglo XVIII y ya, posteriormente, desde finales del siglo XIX y principios del XX. En el Archivo Gráfico de Real Fábrica de Tapices se conserva parte de su destacada obra.

Andrea Procaccini Director artístico

Roma, 1671 - La Granja de San Ildefonso, 1734

Michel-Ange Houasse

París, 1680 - Arpajon, 1730

Louis-Michel van Loo

Toulon, 1707 - París, 1771

Jacopo Amigoni

Venecia, h. 1680/ 1682 - Madrid, 1752

Corrado Giaquinto

Molfetta, 1703 - Nápoles, 1766

Anton Raphael Mengs Director artístico

República Checa, 1728 - Roma, 1779

Francesco Sabatini Director artístico

Palermo 1722 - Madrid, 1797

José del Castillo

Madrid, 1737 - 1793

Mariano Salvador Maella Director artístico

Valencia, 1739 - Madrid, 1819

Francisco Bayeu y Subías Director artístico

Zaragoza, 1734 - Madrid, 1795

Ramón Bayeu y Subías

Zaragoza, 1744 - Madrid, 1793

Francisco de Goya

Fuendetodos, 1746 - Burdeos, 1828

José María Florit Arizcun

Madrid, 1866 - 1924

Francisco Javier Amérigo y Aparici Director artístico

Valencia, 1842-Madrid, 1912

Manuel Benedito y Vives Director artístico

Valencia, 1875 - Madrid, 1963

José María Sert y Badía

Barcelona, 1874 - 1945

Jozsef Domjan

Kispest, Hungría, 1097 - Nueva York, 2002

Joaquín Vaquero Turcios

Madrid, 1933 - Santander, 2010

Alberto Corazón

Madrid, 1942 - 2021

Manuel Valdés Blasco

Valencia, 1942

Agustín de Celis

Comillas, 1948

Guillermo Pérez Villalta

Tarifa, 1948

Alfonso Albacete

Antequera, 1950

Actividad en la Real Fábrica de Tapices

Producción de tapiz, alfombra y repostero

Representa la actividad más artesanal de la fábrica, mediante la cual estos diferentes tipos de textiles decorativos son manufacturados cuidadosamente por expertos maestros, siguiendo técnicas mantenidas durante siglos.

Limpieza y reparación de alfombra de uso cotidiano

Para mantener correctamente las alfombras, es preciso llevar a cabo una limpieza periódica de las mismas y, en ocasiones, la reposición del material desgastado incluyendo, en casos de mayor deterioro, la reconstrucción del material que conforma la urdimbre.

Restauración de textiles históricos

Aquellos pertenecientes a colecciones institucionales o privadas, con carácter generalmente museístico. Los procesos de intervención se realizan siguiendo normativas de conservación y empleando recursos tecnológicos que facilitan y aseguran cada paso a desarrollar dentro de los mismos.

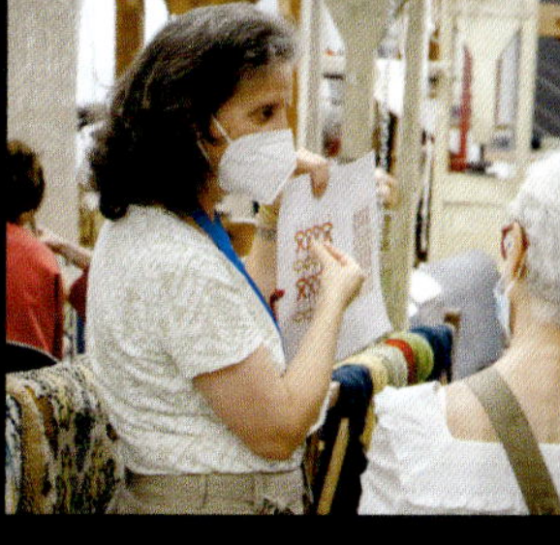

Difusión, comunicación e investigación

La transmisión de la actividad que a diario se desarrolla en Real Fábrica, así como el conocimiento y puesta en valor del legado histórico-artístico que preserva, supone un pilar fundamental, ya que de este modo se fomenta el acercamiento del público a nuestra Institución y a la cultura relativa a la tradición textil en España.

Restauración

La conservación del patrimonio histórico textil debe seguir siendo una de nuestras aportaciones a la sociedad, por lo que uno de los objetivos fundamentales de Real Fábrica de Tapices, consiste en legar a las futuras generaciones un patrimonio textil mejor conservado y con mayores garantías de perdurabilidad.
En los últimos años, para facilitar y modernizar los procesos de restauración, se han realizado importantes implementaciones tecnológicas en este campo, de modo que podemos ofrecer los resultados más óptimos a la hora de intervenir en este tipo de obras. Una de las más destacadas es la creación de una instalación de lavado para tapices y textiles de gran formato. Dado que la limpieza constituye uno de los momentos más críticos de la restauración, este sistema supone una aportación fundamental para el proceso de intervención. Además, recientemente han sido incorporados otros importantes equipos tecnológicos como son tablets para registro de información, estereoscopio para realizar estudios previos del tejido, dron para aerofotografía, equipo de anoxia o mesa de succión, entre otros. Junto a estas infraestructuras privilegiadas, se cuenta con una plantilla de personal altamente cualificado, que trabaja siguiendo los principios éticos dictados por la ciencia de la conservación, por lo que este departamento constituye una de las unidades de restauración textil más destacadas a nivel internacional.

Recepción y documentación

A la llegada a los talleres, las obras se registran y se realiza una documentación exhaustiva de las mismas mediante la elaboración de mapas de deterioros e intervenciones anteriores.
El estudio fotográfico sirve para documentar el estado general de las piezas, determinar la extensión de los deterioros y evaluar la relación riesgo-beneficio de la intervención a acometer.

Limpieza

La limpieza puede llevarse a cabo mediante procesos mecánicos o químicos. Dentro de los primeros encontramos el micro aspirado con potencia controlada o el uso de bisturí. La limpieza química se realiza fundamentalmente mediante el lavado por inmersión controlada, sin recurrir a ningún tipo de manipulación en húmedo, previo estudio de solubilidad de tintes.

Consolidación

Mediante el alineado de la estructura textil se logra eliminar tensiones, dar estabilidad y realizar la corrección de las deformaciones. En algunos caos se opta por emular la apariencia original de la pieza, siempre teniendo en cuenta los principios de notoriedad, reversibilidad y mínima intervención.

Forrado y montaje

El último paso consiste en la protección del tejido mediante el forrado; de esta forma puede adecuarse a cualquier tipo de superficie. El montaje se lleva a cabo mediante sistema de suspensión por medio de velcro, el más inocuo para el tejido, ya que reparte el peso de manera uniforme.

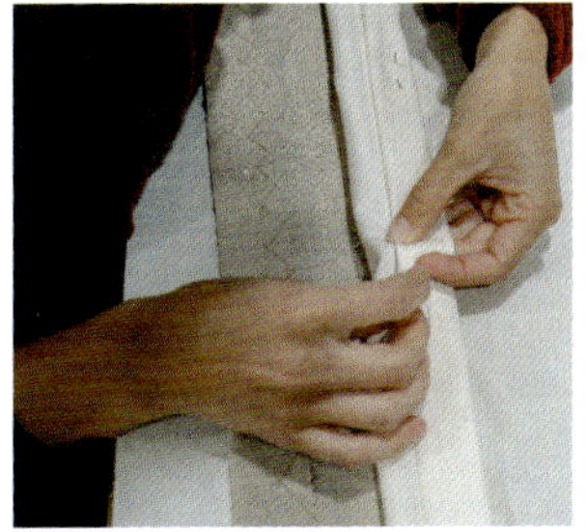

Innovación tecnológica

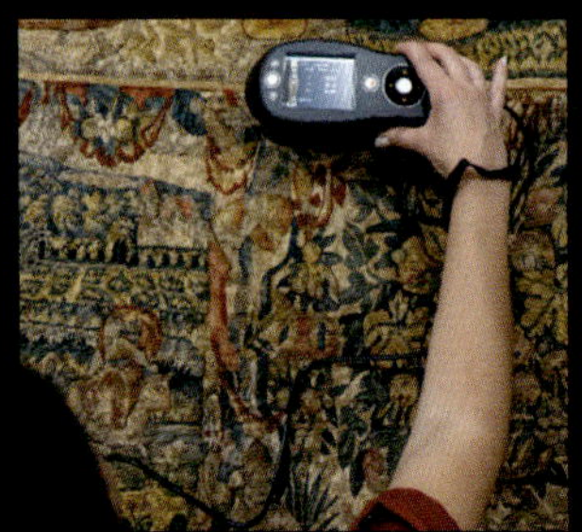

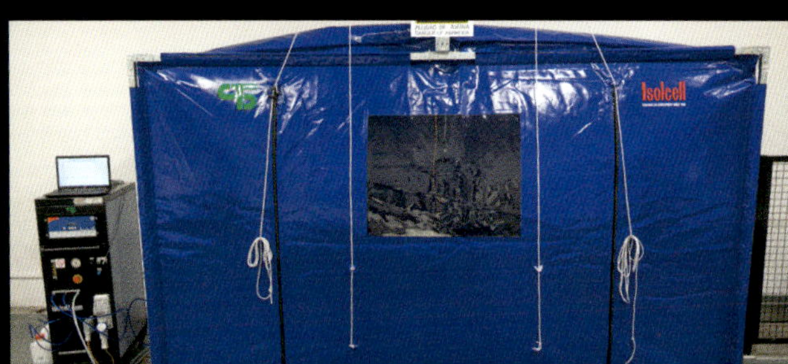

Espectrofotómetro
Microscopio
Drone
Anoxia
Ipad y cartografías

Sala de tintes de la Real Fábrica de Tapices

Históricamente, dentro del proceso de creación de los elementos decorativos textiles, la labor de selección de colorantes y teñido aparece como una de las más destacadas y cuidadas, ya que de ello dependía en gran parte la riqueza, vistosidad y estabilidad de estas obras.

Los colorantes eran obtenidos tradicionalmente, de ciertas especies vegetales, animales o de minerales. En España, desde el siglo VIII, la aportación del mundo hispanomusulmán en este campo fue fundamental. Posteriormente, con el descubrimiento de América y las expediciones botánicas de ultramar, se abrirá un amplio abanico de

nuevos materiales y colores que pronto se incorporarán al mundo textil.
Sin embargo, desde mediados del siglo XIX, con el descubrimiento del primer tinte sintético, el uso de los colorantes tradicionales se verá poco a poco reducido, evitando así una industria altamente contaminante y asegurando un mayor control y estabilidad en los colores obtenidos.

El jardín tintóreo de la Real Fábrica de Tapices

En la sede de Real Fábrica, se ha querido recrear, con ayuda de una experta en tintes, un jardín en el que aparezcan algunas de las especies tradicionalmente más empleadas para esta labor de teñido, para que el público visitante pueda conocerlas e identificarlas.
En los diferentes parterres encontramos una representación de las plantas tintóreas más significativas. Las diferentes acotaciones presentan muestras, tanto de plantas de flor, en el como otras especies arbustivas y arbóreas, identificadas en cada caso con su cartela.
Los paneles divulgativos que se encuentran en el centro del jardín, ayudan al visitante a profundizar en el conocimiento y lectura del jardín tintóreo. Este atractivo recurso de creación de un jardín especializado, ha sido desarrollado de forma pionera por la Real Fábrica de Tapices y supone un importante complemento para la compresión del complejo mundo de la obtención y uso del color en los textiles.

Instrumental histórico

Telares, ruecas y devanaderas componen el instrumental tradicional sobre el que se apoya la creación de los principales elementos textiles decorativos que se exhiben en esta muestra.

Perfectamente conservados después de siglos de uso, la privilegiada visión de conjunto de estos elementos en nuestros obradores, transporta al visitante a épocas pasadas, en las que la cuidada producción artesanal inundaba todos los ámbitos de la creación.

Los telares representan el punto de partida de la creación textil, pues constituyen el lugar donde los distintos materiales de base se entrelazan y transforman en maravillosas obras de arte, de manos de los experimentados maestros liceros.

Las devanaderas, permiten tratar las madejas de lana y seda. En ellas, este material procedente del proceso de tinción, es delicadamente manipulado para quedar estirado y dispuesto para su correcto uso.

Las ruecas facilitan la labor de cargado de las canillas con hilos de diferentes colores y materiales. Este instrumento, cautiva siempre al visitante, tanto por su belleza como por la sencillez y eficacia de su mecanismo.

Todos estos elementos mantienen perfectamente la funcionalidad para la que fueron creados.

Desempolvadora industrial

Actualmente en uso

Fotografía

1905

Archivo Histórico Real Fábrica de Tapices

Báscula para pesado de lanas

Principios s. XX

Archivo Histórico Real Fábrica de Tapices

Rueca

Fotografía

Archivo Histórico Real Fábrica de Tapices

Telares de alto lizo

Fotografía

Archivo Histórico Real Fábrica de Tapices

Telares

Material para producción de tapiz y alfombra

Detalle de la urdimbre y montaje en el telar

Material para producción de tapiz

Devanadera con madejas de lana para tapiz

Material para producción de tapiz

Madera de pino y elementos de hierro

1,30 x 0,55 m

Finales del s. XIX

Rueca

Material para producción de tapiz

Madera de pino y elementos de hierro

1,11 x 0,49 x 1,05 cm

Bobinas de seda

Material para
producción de tapiz

Canillas y espejo

Material para producción de tapices

Trabajo de creación de tapiz desde el reverso de la obra

Madejas de lana

Material para
producción de alfombra

Peine de acero

Material para
producción de alfombra

Básculas para pesado de lana

Hierro y madera

Siglo XX

Material para producción de alfombra

El final del siglo XIX y los comienzos del siglo XX

El convulso siglo XIX en España, supuso una etapa de progresiva decadencia para el arte del tapiz, por lo que esta actividad de Real Fábrica se limitará a mínimos encargos. Por contra, la creación de alfombra de nudo turco, se había intensificado desde finales del siglo XVIII, desarrollándose en su esplendor durante los reinados de Fernando VII e Isabel II, momento en que este tipo de producción, resultó fundamental para el mantenimiento de la fábrica.

Será a finales de siglo cuando, gracias a la reivindicación de algunos intelectuales y al apoyo del rey Alfonso XII, se impulse definitivamente el resurgimiento del tapiz. El monarca, encarga el mantenimiento de las colecciones de tapices de los Reales Sitios, y en su firme apoyo a la manufactura, ordena la construcción de una nueva sede en terrenos cedidos por la propia Corona, lo que abrirá una nueva etapa en la historia de la fábrica.

La creación de tapiz, seguirá basándose en la reinterpretación de modelos clásicos, especialmente, de los cartones de Goya, como ocurre en el caso del pintor Francisco Javier Amérigo. Sus bocetos para alfombra, por el contrario, mostrarán una faceta de su creatividad mucho más diversificada y extensa.

El comienzo del siglo XX, abrirá una nueva perspectiva en el impulso y renovación de la Real Fábrica y sus modelos para tapiz. De especial importancia será, la llegada a la manufactura del pintor Manuel Benedito en 1918, como nuevo asesor artístico, que realiza un constante esfuerzo, para lograr devolver a la manufactura el esplendor de siglos anteriores.

Esta etapa de comienzos de siglo, bajo el reinado de Alfonso XIII, se cierra con un destacado encargo del rey al pintor José María Sert, que supondrá un importante intento de renovación de los modelos de cartón para tapiz, aunque, estas composiciones, finalmente, no se llegarían a traspasar a textil.

Francisco Javier Amérigo y Aparici

Valencia, 1842 - Madrid, 1912

Francisco Javier Amérigo y Aparici, nació el 27 de junio de 1842 en la capital del Turia, donde fue bautizado en la iglesia del Salvador. Su vocación artística se desarrolló tempranamente, influenciada por su entorno familiar. Su padre Francisco Amérigo Morales (1801-1876), estudió en la Academia de Bellas Artes de San Carlos de Valencia, institución en la que también se formaron su tío, el pintor y grabador Ramón Amérigo Morales (1807-1884) y su primo, Federico Amérigo Rouvier, (1840-1912) pintor y escenógrafo.

Francisco Javier prosiguió su formación en el taller de Francisco Martínez Yago, padre del que llegaría a ser su gran amigo, Salvador Martínez Cubells, reconocido pintor y primer restaurador del Museo del Prado, para posteriormente pasar a la Academia de San Carlos de Valencia, donde estuvo matriculado entre los años 1856-1858. A partir de abril de 1858 se instala en Madrid, para ampliar sus estudios en la Escuela Especial de Pintura, Escultura y Grabado, dependiente de la Academia de Bellas Artes de San Fernando.

En 1860 se presenta a la Exposición Regional, Agrícola, Artística e Industrial de Alicante. En este primer certamen, al que también concurre su tío Ramón, participó con la obra La guerra de África, obteniendo ambos, una Medalla de plata.

Francisco Amérigo mantuvo una activa participación en las exposiciones de bellas artes, tanto como pintor como miembro del jurado, posteriormente. Su obra fue distinguida con los siguientes reconocimientos: 1867. Mención honorífica de 1ª clase, por el lienzo Alfonso el Sabio escribiendo las Siete Partidas, 1876. Medalla de 3ª clase, por la obra Un viernes en el Coliseo de Roma, 1887. Medalla de 1ª clase, con el El saqueo de Roma 1892. Medalla de 1ª clase, por el cuadro Derecho de asilo. A pesar de no contar con ayuda económica, se marcha a Roma para completar su formación, permaneciendo en Italia desde 1865 a 1868, donde se relacionó con el grupo de españoles que asistían a la Academia Gigi, entre ellos Mariano Fortuny y Eduardo Rosales.

A su vuelta a España, compaginó la pintura de caballete, con la decoración al fresco y la escenografía. También se dedicó a labor docente, primero en su estudio-taller y a partir de 1873, como profesor de dibujo de adorno y figura de la Escuela de Artes y Oficios de Madrid, institución de la cual sería director desde septiembre de 1910. Su incursión en la pintura escenográfica se debe a su amistad con Casimiro Martín, propietario del Teatro Martín, para el que realizará el techo y el telón de embocadura, así como numerosas decoraciones como La montaña de las brujas, La Pasión de Jesús o el Talismán de Sagras. Desde 1877 no volvió a pintar para el teatro, hasta que en 1885 participó en la finalización del telón de cuadro del Teatro Princesa.

Un hito significativo en la carrera de Amérigo, fue su contribución a la decoración de San Francisco el Grande (Madrid), para el que realizó una serie de vidrieras situadas en la parte inferior de la cúpula y el lienzo la Aparición del Divino Pastor a San Francisco de Asís, ubicado en la sacristía del templo. Por esta obra será distinguido, en 1882, con el grado de Comendador de la Real Orden de Isabel la Católica, reconocimiento que le será otorgado de nuevo en 1889, por el cuadro Indígenas ante la reina regente en la Exposición General de las Islas Filipinas, organizada en 1887 por el Ministerio de Ultramar.

Otros encargos destacables de su producción, son el conjunto de sargas de carácter alegórico que con las virtudes para el buen gobierno realizó para el Palacio de los Guzmanes de León (1884) o El apostolado y luneto de San Raimundo de Fitero de la capilla del Palacio de Linares de Madrid (1888). El 28 de noviembre de 1892 fue elegido Académico de número de la Real Academia de Bellas Artes de San Fernando, no siendo hasta el 21 de octubre 1900, cuando se realizó la lectura de su discurso de ingreso. “La idealidad en la obra de Arte”, algo que no pudo hacer personalmente, por estar enfermo. Su actividad académica fue de gran intensidad, ocupando los puestos de secretario de la Sección de Pintura y desde 1903 como vocal de la Comisión de Inspección de Museos. Falleció en Madrid el 28 de marzo de 1912, noticia de la que se hicieron eco numerosos periódicos, cuyas reseñas ponían en relieve tanto su trayectoria profesional como su calidad humana.

Francisco Javier Amérigo y Aparici en la Real Fábrica de Tapices

Desde septiembre de 1880 y hasta al menos, noviembre de 1911, estuvo vinculado a la Real Fábrica de Tapices. En este período, realizó numerosos bocetos de alfombras, reposteros y cartones para tapices, destacando en la reinterpretación de los cartones que hiciera Francisco de Goya en el siglo XVIII. En los bocetos para alfombra, ejecutados principalmente con acuarela, es donde el pintor se expresa con mayor libertad, revelando un estilo de pintura caracterizado por pinceladas ágiles y precisas, de trazo suelto, incluso abocetado, donde logra diseños que rozan el impresionismo. Sus diseños siguen distintos estilos: español, oriental y mayoritariamente, el francés de Luis XV y Luis XVI. Un rasgo característico de Amérigo fue firmar sus diseños, algo inusual entre los pintores de la real manufactura. En el Archivo Histórico se conservan las pagas realizadas al pintor por los trabajos de bocetos y dibujos realizados en distintos momentos, especificándose incluso, en algunos de ellos, el cliente y el lugar de destino de la alfombra.

Escena galante

Cartón para tapiz	Romanticismo-clasicismo
Acuarela sobre cartón	1880-1910
25,5 x 23 cm	0329 TAP
Francisco Javier Amérigo Aparici	Archivo Histórico Real Fábrica de Tapices

Reinterpretación de cartones de Goya

En ambos lienzos, Amérigo reinterpreta dos de las composiciones que Francisco de Goya realizara para la Real Fábrica de Tapices dentro de la serie Las cuatro estaciones (1786-1787), tema muy típico del período rococó, y que servirían para decorar la Pieza de Comer de los Príncipes de Asturias en el palacio de El Pardo.

El primero, representa el grupo central del cartón para tapiz Las floreras o La Primavera. En este caso, Amérigo ha eliminado parte del celaje y ha añadido dos franjas de paisaje en ambos laterales, cambiando la disposición general del formato vertical, al apaisado.

El segundo, reinterpreta La Vendimia o El Otoño. De nuevo, el formato de la obra ha cambiado, estrechando y alargando el original, hasta emular los cartones de tapiz destinados a decorar los laterales de puertas.

Respecto a los originales de Goya, se aprecia el uso de una luz más clara y fría y menos difusa, con cambios de luz mucho más contrastados, que acentúan los pliegues de los ropajes y otros elementos de las representaciones. La pincelada de las obras de Amérigo, es más suelta y empastada, más parecida a la que utilizará Goya en sus últimas obras, diferenciándose de estos cartones de su primera etapa pictórica.

Las floreras

o La primavera

Óleo sobre lienzo

1,34 x 2,47 m

Francisco Javier
Amérigo y Aparici

0491 TAP

Archivo Histórico Real
Fábrica de Tapices

La vendimia

o El otoño

Óleo sobre lienzo

2,76 x 0,96 m

Francisco Javier
Amérigo y Aparici

0492 TAP

Archivo Histórico Real
Fábrica de Tapices

Bocetos para alfombra

Escena galante

Cartón para tapiz

Acuarela sobre cartón

33,5 x 25 cm.

Francisco Javier Amérigo Aparici

s. XIX

0331 TAP

Archivo Histórico Real Fábrica de Tapices

Escena galante

Cartón para tapiz

Acuarela sobre cartón

25,5 x 23 cm

Francisco Javier Amérigo Aparici

Romanticismo-clasicismo

1880-1910

0329 TAP

Archivo Histórico Real Fábrica de Tapices

Manuel Benedito y Vives

Valencia, 1875 - Madrid, 1963

Manuel Benedito sería nombrado asesor artístico de la manufactura en 1918, ascendiendo pronto al cargo de director artístico. Para su ingreso en la Real Academia de Bellas Artes de San Fernando, en 1924, escribe su discurso *El Porvenir de la Real Fábrica de Tapices y Alfombras de Madrid*, en el que realiza un alegato de defensa del arte de la tapicería, que se niega a considerar como algo perteneciente al pasado. Propone un programa de recuperación del antiguo esplendor de la fábrica, evitando la presencia de cualquier elemento industrial o la variación en el sistema de trabajo tradicional. Defenderá la revitalización del oficio del tejedor, mediante una formación que conjugue el dominio técnico y la sensibilidad artística, para una correcta interpretación de la pintura y su traspaso al tapiz. Esto implica la recuperación de la noción de cartón para trabajos nuevos, evitando realizar simples reproducciones. Para proporcionar modelos a los tejedores e instruirlos, insistirá en la importancia del mantenimiento de un amplio fondo de archivo y biblioteca en la fábrica.

Teniendo en cuenta estas consideraciones de las que hizo defensa, Benedito llevó a cabo dos destacadas obras para servir como modelos de tapiz: *Vuelta de la montería*, considerada una obra de referencia en la producción de la Real Fábrica de Tapices durante el siglo XX, y *Corzo*.

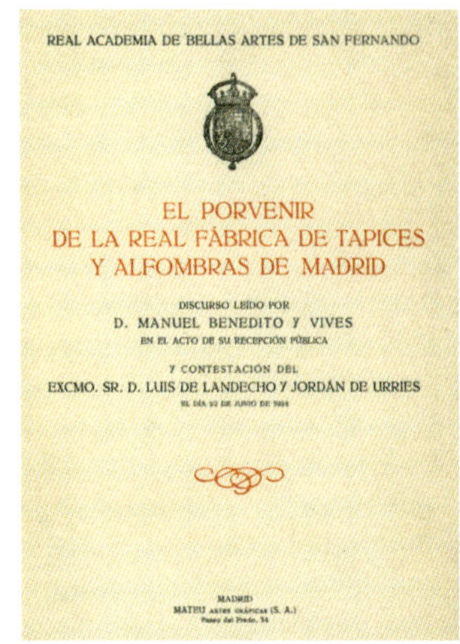

REAL ACADEMIA DE BELLAS ARTES DE SAN FERNANDO

EL PORVENIR
DE LA REAL FÁBRICA DE TAPICES
Y ALFOMBRAS DE MADRID

DISCURSO LEÍDO POR
D. MANUEL BENEDITO Y VIVES
EN EL ACTO DE SU RECEPCIÓN PÚBLICA

Y CONTESTACIÓN DEL
EXCMO. SR. D. LUIS DE LANDECHO Y JORDÁN DE URRIES
EL DÍA 22 DE JUNIO DE 1924

MADRID
MATEU ARTES GRÁFICAS (S. A.)
Paseo del Prado, 34

El porvenir de la Real Fábrica de Tapices y alfombras de Madrid

27 x 18.50 cm

Discurso de ingreso en la Real Academia de Bellas Artes de San Fernando por Manuel Benedito. Leído en su acto de recepción pública el día 22 de junio de 1924. Contestación del Excmo. Sr. D. Luís de Landecho y Jordán de Urríes.

Fundación Manuel Benedito

La vuelta de la montería

Dibujo en grafito y gouach
sobre papel entelado

Josep María Sert y Badia

Barcelona, 1874-1945

José María Sert es considerado uno de los más destacados pintores de su tiempo, gozando de un gran prestigio entre las élites de la sociedad europea y americana. Nacido en el seno de una familia dedicada a la industria textil, pronto se familiariza con la creación de diseños para tapices y alfombras, enfocando después su carrera como pintor-decorador. Pronto se traslada a París, donde entra en contacto con la bohemia y los intelectuales de la ciudad y logra afianzar sucesivos encargos rápidamente.

Sert desarrollará un estilo propio, alejado de las vanguardias e influenciado por la pintura manierista y barroca, de grandes esquemas decorativos, tomando referencias de maestros como Rubens, Velázquez, los pintores venecianos o Goya, bebiendo siempre del exotismo de lo oriental. Destacó principalmente como muralista, realizando grandes composiciones en diferentes espacios públicos y privados. Destacan las decoraciones para la catedral de Vic o el Ayuntamiento de Barcelona y a nivel internacional, los encargos para la familia Rothschild, el comedor del Hotel Waldorf Astoria y el hall del Rockefeller Center, ambos en Nueva York, o la Gran Sala del Consejo de la Sociedad de las Naciones Unidas en Ginebra.

***El Carrusel* o *El Tiovivo*.**

Cartón para tapiz

Óleo sobre lienzo

Josep María Sert y Badía

2,70 x 3,92m.1922-1923.

Propiedad del Museo Nacional de Artes Decorativas.

***El Carrusel* o *El Tiovivo*.**

Boceto original para desarrollar el cartón a gran formato del mismo tema.

Óleo sobre lienzo.

Josep María Sert y Badía.

0486 TAP

Josep María Sert en la Real Fábrica de Tapices

La obra de Sert relacionada con los la Real Fábrica de Tapices, se produjo como consecuencia de un encargo, a una iniciativa del rey Alfonso XIII, hacia 1922-23, quien quiso que su pintor favorito hiciera una serie de nueve cartones para ser tejidos en la manufactura. Estos diseños, nunca se llegaron a crear en tapiz al no poder ser abonados por la Corona y finalmente, serían vendidos por Sert en Nueva York, junto a sus correspondientes bocetos.

La oportunidad de crear tapices basados en el genio de Sert, llegaría finalmente en los años cincuenta, fallecido el artista, sobre unos modelos realizados para América cuyos diseños se quedaron en Cataluña. De este modo se crean en Real Fábrica de Tapices varios paños con los temas *Lucha Ecuestre* y *Desembarco* o *El último Abencerraje*, siguiendo el modelo original de Sert o en un segundo caso, presentando la escena principal enmarcada por cortinajes de corte historicista.

El último abencerraje

José María Sert

Tapiz en seda y lana

3,10 x 3,88 m.

Propiedad del Ministerio de Asuntos Exteriores, Unión Europea y Cooperación

Fotografía: Pablo Linés Viñuales

Embarque o El último Abencerraje

Acuarela sobre papel cuadriculado 78 x 106 cm.

Cartón para tapiz (cuadrícula previa), siguiendo el diseño del original de Josep.María Sert

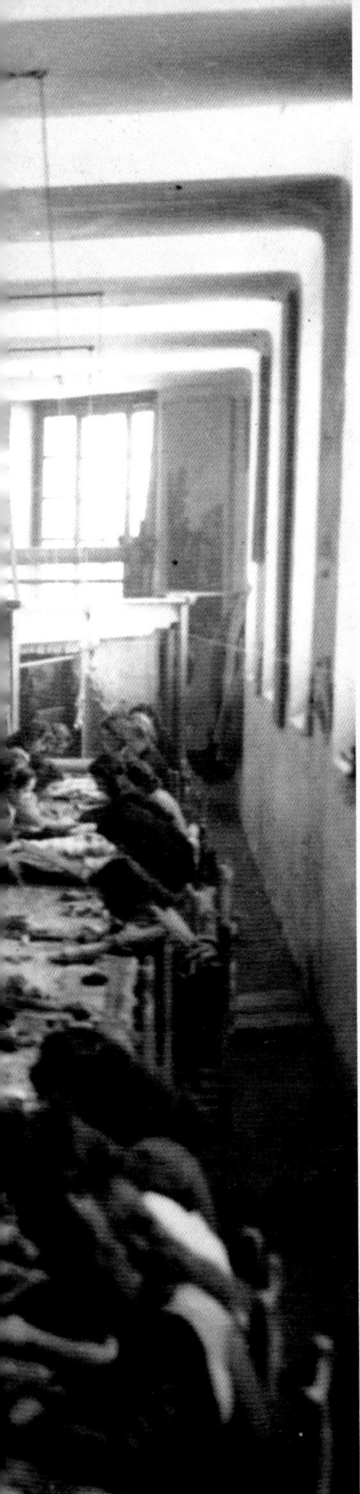

Los diferentes cambios de régimen: Segunda República, Guerra Civil y Dictadura

Tras una prometedora apertura de siglo, la Real Fábrica de Tapices continúa durante los años treinta abordando un periodo de intensa actividad.

La llegada de la Segunda República en 1931 supone, inicialmente, un freno de los encargos particulares, por lo que se intensifica la promoción de la fábrica a nivel nacional e internacional, con la realización de diversas exposiciones, que puedan proporcionar nuevos encargos, especialmente de clientela extranjera. Además, sin el apoyo y protección directos de la Corona, la producción de la fábrica se verá muy limitada, al no recibir encargos institucionales.

Pronto esta situación cambia, cuando en el año 1932, el gobierno de Manuel Azaña asigne a la Real Fábrica, el proyecto de restauración y réplica de los Tapices de Pastrana, un extraordinario conjunto de paños medievales, que se encontraban en un estado de conservación crítico. La ejecución del proyecto, paralizado durante los años de la Guerra Civil, continúa bajo el gobierno franquista, finalizándose en 1949.

Tras el éxito de las réplicas de estos tapices, se incentiva la creación de nuevas piezas de estética gótica basadas en reconocidas series medievales, ya en dimensiones más reducidas. Asimismo, se generan nuevos modelos en este estilo que recogen importantes hechos históricos, como es el caso del *Tríptico del Descubrimiento* y otras composiciones similares, ideadas, principalmente, por Faustino Álvarez Quintana, uno de los más destacados dibujantes de Real Fábrica en el momento.

De este período de los años cincuenta destaca, además, el extraordinario proyecto de decoración de Carlos de Beistegui para su castillo francés de Groussay, que supondrá un importante revulsivo para la producción de la fábrica y un reto en cuanto al uso combinado de diversos diseños de Goya en piezas únicas de tapiz.

Cristóbal Colón arrodillado ante los Reyes Católicos

Faustino Álvarez Quintana

Cartón para tapiz

Parte izquierda del *Tríptico del Descubrimiento de América*

Acuarela sobre cartón entelado

2,40 x 1,21 m.

0093 TAP

Archivo Histórico Real Fábrica de Tapices

Tapices de Pastrana

Los tapices de la Colegiata de Pastrana (Guadalajara), constituyen un extraordinario conjunto de seis paños, que narran las conquistas africanas del rey Alfonso V de Portugal. Dos series diferentes conforman el conjunto; la primera, formada por dos tapices, narra la toma de Alcázar Seguer, en 1458. La segunda y más importante, compuesta por cuatro tapices, muestra la conquista de Arcila y Tánger, en 1471. El propio monarca, para conmemorar sus victorias, realiza el encargo de tejer los tapices, a un taller de la ciudad flamenca de Tournai, que seguirá las representaciones atribuidas al que fuera pintor real, Nuno Gonçalves.

Considerados uno de los escasos ejemplos de tapices del siglo XV que relatan hechos contemporáneos a su realización, muestran un gran realismo en la representación de armaduras, escudos, armas y navíos, siendo considerados un auténtico documento histórico. Su llegada a España avala la tesis de un posible regalo y son citados por vez primera, como propiedad de la Casa del Infantado, en el inventario de 1532, a la muerte del III duque. Su presencia en la iglesia de Pastrana, se justifica por la donación que el cuarto duque de la villa, Rodrigo de Silva y Mendoza, realiza en el año 1667.

La réplica de los tapices de Pastrana en la Real Fábrica de Tapices

A comienzos del siglo XX, se producirá un redescubrimiento del conjunto de tapices, cuyo excepcional valor, llevará a promover su completa recuperación. Teniendo en cuenta el precario estado de conservación del conjunto y la necesidad de una intervención profesional, desde la Real Fábrica de Tapices, se realiza una propuesta al presidente del Consejo de Ministros de la II República, Manuel Azaña, para llevar a cabo su restauración y, disponiendo de las obras en la fábrica, crear, además, una réplica de los cuatro tapices, fomentando, de este modo, la actividad de la manufactura. Azaña aceptará, con el propósito de restaurar los originales, para preservarlos en Madrid y devolver a Pastrana las réplicas.

Cerco de Arzila
Empalizada de madera y cañón en medio.

Desembarco de Arzila
Tres escenas. Naves en plena mar.

Soldados tomando los botes. Naves naufragando y soldados con 2 reyes

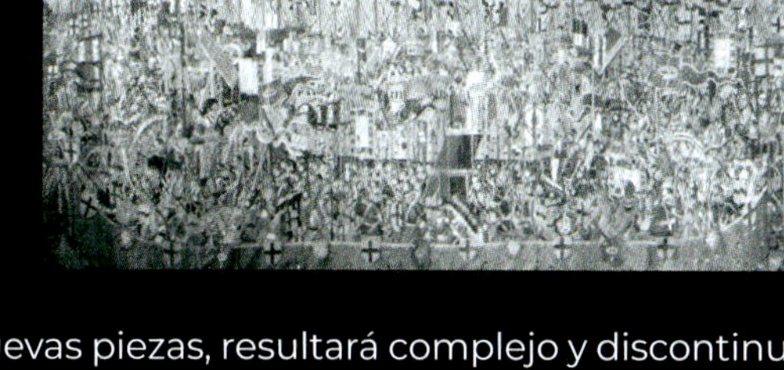

Cerco de Arzila
Panoramica.

Réplica.

1944

Desembarco en Arzila
Panorámica.

Réplica. Fachada.

1943

El proceso de restauración y tejido de las nuevas piezas, resultará complejo y discontinuo por la gran inestabilidad política del momento en España. El estallido de la Guerra Civil. en 1936, hace que ambos proyectos queden detenidos, cuando la primera réplica de *La Toma de Tánger* había sido finalizada. La serie original, será trasladada en este momento hasta Ginebra, junto a otros tesoros artísticos. Con el gobierno de Franco, la ejecución del proyecto continuará, finalizándose los otros tres paños: *El Desembarco de Arcila* en 1942, *El cerco de Arcila* en 1943 y *El Asalto de Arcila* en 1949.

Ya en 1950 y tras un largo proceso de negociación, Franco devuelve las series originales a Pastrana, para formar parte del nuevo Museo Parroquial. Las réplicas, de una fidelidad y calidad excepcionales, serán adquiridas, por el Estado portugués, llegando a Lisboa en 1953, junto a los cartones y fotografías del proceso de tejido. Actualmente, los tapices se encuentran expuestos en el Palacio de los Duques de Braganza, en Guimaraes, formando parte de una importante colección estatal de tapices.

Reinterpretación de los modelos goyescos

Francisco de Goya es, sin duda, el artista más conocido asociado al diseño de cartones en la Real Fábrica de Tapices. Las composiciones que el artista creara durante sus casi veinte años de trabajo para la manufactura, a finales del siglo XVIII, conformarían un abundante conjunto de renovados modelos, que rompieron con la estética de las representaciones anteriores. Desde sencillas escenas de caza a los asuntos populares madrileños, sus obras experimentarán una interesante evolución en la temática representada, para finalizar introduciendo la crítica social y otros temas subyacentes, siendo consciente de la creación de nuevos modelos que él mismo denominará "sus invenciones". A la par, irá aumentando la complejidad de las escenas, el número de personajes y la calidad en su pintura, cada vez más libre y de colores más refinados. Esta liberación progresiva de los convencionalismos de la pintura para cartones, le costó no pocos problemas con directores y tejedores de Real Fábrica, quienes, tras elevar sus quejas al rey, lograron que el maestro ajustase las líneas de sus composiciones para una lectura e interpretación más sencilla de los mismos

Los cartones para tapiz de Goya, son considerados hoy en día una de las partes más interesantes de su producción artística y supondrán un extraordinario legado que perdurará hasta la actualidad, siendo fuente de inspiración para artistas de todas las épocas que interpretarán recurrentemente sus diseños. En Real Fábrica de Tapices, se continuaron empleando los modelos goyescos durante todo el siglo XIX, debido a la constante demanda por parte de los clientes, como atestigua la recreación de algunas de sus obras por parte del pintor Francisco Amérigo.

El proyecto para el castillo de Groussay

A mediados del siglo XX, la Real Fábrica de Tapices recibe un importante encargo para la decoración del castillo de Groussay, en París. El decorador Carlos de Beistegui, solicita la creación de veintinueve tapices que decorasen una de las salas que tenía forma anular. Se diseñan grandes tapices, que tendrían como tema principal los famosos cartones pintados por Goya, pero uniendo varios de las composiciones individuales en una misma escena conjunta. En el Archivo Histórico de Real Fábrica de Tapices, se conservan los bocetos que los dibujantes de la manufactura presentaron a Beistegui para su aprobación, con anotaciones manuscritas del mismo.

Fantasía de Goya

Tapiz

Reinterpretación del original realizado para el Castillo de Groussay, París

Calidad 74 hilos/dm.
Algodón, lana y seda

3,00 x 5,42m.

1982

Se trata de una composición libre a partir de tres cartones originales de Francisco de Goya: *La prendería* o *La feria de Madrid*, a la izquierda, *El ciego de la guitarra*, en el centro y *El cacharrero*. Estos cartones fueron concebidos entre 1778-1779 para decorar el dormitorio de los Príncipes de Asturias en el Palacio de El Pardo y representan escenas ambientadas en las ferias de Madrid.

Alberto Baraya en Real Fábrica de Tapices

La Real Fábrica de Tapices recibe, en 2023, una propuesta de residencia del artista colombiano Alberto Baraya, para reinterpretar la obra de Goya. Durante cuatro meses, el artista realiza una investigación sobre la técnica de trabajo de cartones y sobre la obra del artista aragonés en la fábrica, a la par que crea sus propias reinterpretaciones de las famosas composiciones goyescas. De este modo, presenta una exposición de estas obras, que denomina *Expediciones Goyescas*, en las que el artista ha conciliado las famosas imágenes de *La nevada*, *Las Gigantillas* o *El Pelele*, entre otras, con su universo personal, influenciado por la exótica naturaleza colombiana, los coches deportivos y otros asuntos.

La nevada Z-102

Dibujo

Reinterpretación de la obra original de Francisco de Goya *La Nevada* durante su residencia artística en Real Fábrica de Tapices

0.30 x 0,42 m.

2023

Cortesía del artista y de la Galería Fernando Pradilla

La nevada

Cartón para tapiz

Acuarela sobre cartón

Perteneciente a la quinta serie, realizada por Francisco de Goya para la Pieza de Comer en el Palacio de El Pardo, 1786-1787

2,09 x 2,77 m

s. XX

La nevada con Pegaso

Óleo sobre lienzo

Reinterpretación de la obra original de Francisco de Goya *La Nevada* durante su residencia artística en Real Fábrica de Tapices

1,50 x 2,20 m.

2023

Cortesía del artista y de la Galería Fernando Pradilla

Cartones para tapiz

La vendimia
Cartón para tapiz
Acuarela sobre cartón
Copia del original de Francisco de Goya
Quinta serie (1786-87) realizada para la Pieza de Comer del Palacio de El Pardo
1,88 x 1,35 m
s. XX

Los cartones para tapiz constituyen composiciones únicas que se elaboran exclusivamente para el proceso de creación del tapiz. Históricamente, los cartones para tapiz no fueron considerados como obras de arte, sino como meros elementos compositivos cuya función era la de materializar en hilos, las representaciones demandadas por el cliente.

Podían crearse propiamente como pinturas al óleo sobre lienzo, pero posteriormente estas composiciones eran traspasadas al tamaño final que iba a tener el tapiz, en papel grueso denominado cartón, utilizando la técnica de acuarela. En ellos, los cartonistas y dibujantes de Real Fábrica facilitaban a los maestros tejedores la lectura de las líneas de composición y los colores de la obra.

La constante manipulación de estas piezas, que podían ser seccionadas para el trabajo individualizado de cada maestro licero, hizo que muchas de estas obras resultaran efímeras, debido también a su fragilidad. Pese a ello, en el Archivo Histórico de Real Fábrica de Tapices se preservan tanto originales como cientos de copias de aquellas magníficas composiciones creadas durante siglos para la manufactura de tapices.

La producción de Real Fábrica de Tapices entre las décadas de 1970 y 1990

Pavo Real de fuego

József Domján

Cartón para tapiz

Estampa xilográfica

51.4 x 66.8 cm.

Década 1970

0286 TAP

Archivo Histórico Real
Fábrica de Tapices

El final de los años sesenta y el comienzo de los setenta, estarán marcados por la producción de nuevos modelos de tapiz, basados en la obra del reconocido artista húngaro, asentado en Nueva York, József Domján. Sus novedosos diseños de ricas y coloridas representaciones suponen una ruptura con los tapices realizados hasta entonces en la Real Fábrica y técnicamente, un reto para los maestros liceros, debido a la minuciosidad de detalles que presentan.

Durante el resto de la década, no se llevará a cabo otro proyecto de creación de tapices de características similares, hasta que el Ministerio de Cultura convoque el Concurso del año 1980. El certamen supone un gran éxito, por la participación de importantes figuras artísticas y la calidad de las obras presentadas, que serían creadas posteriormente en tapiz y que representan el buscado acercamiento de la fábrica al arte contemporáneo.

Estas nuevas creaciones, se irán alternando con diferentes encargos de tapiz basadas en composiciones de diferentes artistas. Se conservan en los archivos de la Fábrica cartones sobre fragmentos del Guernica de Picasso correspondientes a los años 1980 y 1981 que testimonian el interés suscitado por la obra del genial malagueño en vísperas del traslado a España del célebre cuadro.

József Domján

Kispest, 1907-Nueva York, 1992

József Domján es un artista húngaro asentado en Nueva York, reconocido a nivel mundial por el método de grabado único que desarrolla. Consiste en el trabajo con bloques de madera tallados, en los que utiliza color al óleo en lugar de tinta para realizar la estampación de las imágenes, consiguiendo crear efectos tridimensionales de motivos muy ricos y coloración fabulosa. Las imágenes de sus obras están enraizadas en el arte popular de Hungría, representando animales reales y fantásticos, motivos florales o figurativos que nos ofrecen una visión mágica de la realidad y tan atractivos que resultan atemporales.

Paloma
József Domján
Cartón para tapiz
Estampa xilográfica
46.1 x 61.1 cm.
Década 1970
0292 TAP
Archivo Histórico Real Fábrica de Tapices

Domján fue galardonado en China con el reconocimiento de *Maestro de la Xilografía en Color*, título que se otorga cada 100 años como el honor más grande de arte en el país, debido al estudio de sus técnicas tradicionales. Su pasión por la tapicería le lleva a encargar a la Real Fábrica de Tapices, una serie de once obras que se tejieron entre los años 1968-1971, captando perfectamente la esencia de sus diseños y sus maravillosos y vibrantes colores, ganando en tamaño e intensidad dramática.

Pese a ser una de las principales figuras del arte del siglo XX en su país, su obra es más conocida en América, donde se encuentra expuesta en museos como el de Arte Metropolitano de Nueva York, Boston, Chicago, San Francisco, y también en Europa en el museo Victoria & Albert y la Galería Tate Modern de Londres, en galerías de Hungría o en Japón.

En el Archivo Histórico de Real Fábrica de Tapices se conservan numerosos bocetos originales, entre los que se encuentran los aquí expuestos.

Pavo real de fuego representa un pájaro de fuego de colorido rojo brillante. Sobre la tonalidad roja del pájaro de fuego, aparecen diversas figurillas de aves estampadas. En la cabeza, lleva posada otra ave de pequeño tamaño. El fondo, de color morado intenso, simula un bosque en la oscuridad de la noche donde refulgen sus alas resplandecientes. Podemos relacionar esta imagen y el título de la obra con un ballet de Igor Stravinski que lleva el mismo nombre, y que está basado en historias folklóricas rusas.

Unicornio

József Domján

Cartón para tapiz

Estampa xilográfica

66.3 x 51.1 cm.

Década 1970

0287 TAP

Archivo Histórico Real Fábrica de Tapices

Pavo Real orgulloso

József Domján

Cartón para tapiz

Estampa xilográfica

61 x 42.2 cm.

Década 1970

0291 TAP

Archivo Histórico Real Fábrica de Tapices

Danza

József Domján

Cartón para tapiz

Estampa xilográfica

63.5 x 41.3 cm.

Década 1970

0284

Archivo Histórico Real
Fábrica de Tapices

Amapola

József Domján

Cartón para tapiz

Estampa xilográfica

70.7 x 55.6 cm.

Década 1970

0285 TAP

Archivo Histórico Real
Fábrica de Tapices

Madre e hijo

József Domján

Cartón para tapiz

Estampa xilográfica

66.3 x 51 cm.

Década 1970

0290 TAP

Archivo Histórico Real Fábrica de Tapices

Luto

József Domján

Cartón para tapiz

Estampa xilográfica

70.8 x 55.7 cm.

Década 1970

0289 TAP

Archivo Histórico Real Fábrica de Tapices

Pavo Real de noche

József Domján

Cartón para tapiz

Estampa xilográfica

63.3 x 51 cm.

Década 1970

0293 TAP

Archivo Histórico Real Fábrica de Tapices

Zanahorias silvestres

József Domján

Cartón para tapiz

Estampa xilográfica

77 x 64 cm.

Década 1970

0288 TAP

Archivo Histórico Real Fábrica de Tapices

Los emblemas del amor
Guillermo Pérez Villalta
Cartón para tapiz
Copia plotter del original
1,77 x 3,05m.
Archivo Histórico Real
Fábrica de Tapices

Tapices: tradición y modernidad

Desde época medieval, los tapices se presentan como los elementos más apreciados dentro de aquellos que constituían el ornato de las estancias regias, nobiliarias o espacios religiosos. Valorados durante siglos incluso por encima de la pintura, constituían todo un escenario de fondo y transformaban tanto las estancias al interior, como los exteriores en los que aparecían desplegados, debido a su imponente tamaño, sus cuidadas representaciones y su increíble colorido.

Su elevado coste de elaboración, por la complejidad técnica, las horas de trabajo y la riqueza de materiales empleados, hacía que su adquisición estuviera reservada sólo a unos pocos privilegiados, reflejando, con ello, su poder.

Junto a la función decorativa, los tapices permiten transformar los grandes espacios en lugares más confortables, al proporcionar calidez y una mejora acústica, ya que el textil recoge el impacto del sonido, evitando el eco. Todas estas cualidades, unidas a su flexibilidad, ligereza y sencillez a la hora de ser transportados, serán las que otorguen al tapiz un excepcional valor tanto material como representativo.

Actualmente en la Real Fábrica de Tapices, se continúan creando estos bellísimos textiles, utilizando las mismas técnicas centenarias, y mostrando cómo estas obras trascienden épocas y son perfectamente adaptables a los diseños y espacios contemporáneos, en los que el textil gana cada día más fuerza y representación.

Reinterpretaciones de otros artistas en tapiz

Naturaleza muerta con instrumentos musicales

Cartón para tapiz

Dibujo de líneas

Copia del original de George Braque de 1908

73 x 75,5 cm.

0314 TAP

Archivo Histórico Real Fábrica de Tapices

Oceanía, el cielo (fragmento)

Cartón para tapiz (serigrafía)

Copia del original de Henri Matisse de 1946

55,5 x 56,5 cm.

0431 TAP

Archivo Histórico Real Fábrica de Tapices

Vidriera (dentro de la serie de doce vidrieras)

Cartón para tapiz

Thomas Hessler

1998-2006

132,5 x 85,5 cm.

0320 TAP / 0321 TAP 1 y 2

Archivo Histórico Real Fábrica de Tapices

El Concurso de 1980

El certamen, promovido por el Ministerio de Cultura y la Real Fábrica de Tapices, recibió el nombre de *Concurso de premios para la realización de bocetos y cartones de artistas contemporáneos para la Real Fábrica de Tapices*.

La iniciativa, se enmarca dentro de un plan para potenciar la actividad de la manufactura, que desde el año 1964 se había desvinculado del Patrimonio Nacional y trabajaba como una empresa totalmente privada. El Departamento de Cultura pretendía, así, suministrar diseños para tapices y alfombras, que mantuvieran el diálogo con el arte contemporáneo y la excelencia artística que, históricamente, había caracterizado a la manufactura. La temática y técnica de los bocetos era libre y el concurso estaba abierto a cualquier artista nacional.

De los bocetos ganadores debían crearse los consiguientes cartones de acuerdo a los requerimientos del personal técnico de la fábrica, colaborando, además los artistas, en cada una de las facetas de ejecución material del tapiz.

La convocatoria fue un éxito rotundo, con la participación de ochenta y seis artistas con ciento setenta y cinco bocetos. Entre los artistas más importantes estaban Guillermo Pérez Villalta, Manolo Quejido, Vaquero Turcios o Agustín de Celis, resultando como ganadores del concurso, estos dos últimos.

Exposición de bocetos en la Galería Real Fábrica de Tapices

Pájaro de la noche

Tapiz

2,02 x 1,56 m

Calidad 60 hilos/dm.

Lana y seda

Tapiz según boceto de Agustín de Celis

Estilo neofigurativo

1981

Colección del Ministerio de Cultura

Agustín de Celis (Comillas 1948) ya era un artista consagrado cuando, en 1980, recibe el premio para hacer el cartón de esta obra para Real Fábrica de Tapices. Celis participa en el certamen con tres bocetos, resultando ganador *Pájaro de la noche*, sin duda el más figurativo de los tres presentados y que se debe poner en relación con su serie coetánea *Paisajes de la Imaginación*. El artista no había tenido ningún contacto anterior con la obra textil, que requiere líneas definidas, por lo que tuvo que introducir en estos bocetos una mayor dosis de figuración y formas rotundas, para poder adaptarse al trabajo de los liceros y a los requerimientos de la Comisión Calificadora del concurso.

En un campo cuadrangular, aparece un ave que recuerda a una golondrina, atravesada longitudinalmente por una especie de lanza. Sobre esta figura en primer plano, se muestra un ramo de hojas bastante definidas. El campo posterior, menos definido representa el paisaje de la imaginación, mientras que el primer plano representa la realidad. El borde interior casi a modo de tela desgarrada, acentúa la sensación de suspensión en el vacío.

Encuentro

Tapiz

2,02 x 1,56 m

Calidad 60 hilos/dm

Lana y seda

Tapiz según boceto de Joaquín Vaquero Turcios

1981

Colección del Ministerio de Cultura

Junto a esta obra de Celis, anteriormente expuesta, el segundo diseño que resulta premiado en el Certamen de 1980, será la obra *Encuentro* de Joaquín Vaquero Turcios.

El artista parecía predestinado a tener algún contacto con el arte del tapiz, debido a su vocación claramente muralista, alimentada en sus prolongadas estancias en Italia y México, durante las cuales estudia la técnica del fresco y del mosaico. Sin embargo, su vinculación con el tapiz es muy anterior a la década de los ochenta, cuando realiza la composición para esta obra. Ya en 1967 había diseñado un gran tapiz para un santuario en la Umbría italiana y existen otras referencias de tapices realizados en esta época. Después de crear en 1980 el cartón para Real Fábrica de Tapices, en 1984 realiza también una serie de seis cartones para la Fundación de Gremios. El boceto con el que resulta premiado en el concurso de 1980, titulado *Encuentro*, pertenece a parte de su producción más decididamente abstracta y el diseño se estructura en forma de una serie de cintas que se entrelazan unas con otras, dando lugar a una serie de estrechos vínculos, casi recordando al entrecruzamiento de tramas y urdimbres que constituye la esencia de la estructura textil. Este sistema de ligamentos forma un mapa de encuentros, al que alude el acrílico sobre lienzo convertido después en cartón, que servirá para realizar el tejido de este tapiz.

La Fundación Real Fábrica de Tapices: obras desde los años 90 a la actualidad

Combate y Destino

Guillermo Pérez Villalta

Cartón para tapiz

Copia plotter del original

1,47 x 2,08 m.

Siglo XX

0441 TAP

Archivo Histórico Real Fábrica de Tapices

La Fundación Real Fábrica de Tapices

A finales de 1996 se constituye la Fundación Real Fábrica de Tapices, que tiene entre sus fines la potenciación de la creación contemporánea en tapices, alfombras y reposteros. El nuevo estatuto jurídico de la histórica manufactura, ahora definida como Fundación Cultural, favorece sin duda la renovación de su imagen y el estrechamiento de vínculos con la modernidad.

Se crea la Escuela-Taller de la Real Fábrica, en 1998 y ya desde sus primeros momentos, se empiezan a tejer obras de autores contemporáneos como forma de familiarizar a los alumnos con los nuevos derroteros de la creación artística. Además, en la Escuela se fabricaron otros tapices sobre pinturas de algunos clásicos de las vanguardias históricas: Picasso, Juan Gris, Braque, Matisse y otros artistas.

Se acomete también en este momento, el proyecto encargado a la fábrica por el artista Thomas Hessler, para creación de tapices con destino a una abadía austríaca. Los tapices, estarían basados en una serie de doce composiciones, creadas a modo de representaciones para vidrieras, con colores muy vivos y marcados contornos oscuros, mostrando escenas que invitan a la meditación, la espiritualidad y los juegos y celebraciones en familia. El artista realizará estos encargos de tapiz a la fábrica entre los años 1998 y 2006.

Guillermo Pérez Villalta

Tarifa, 1948

Pintor, arquitecto y escultor del postmodernismo español, es integrante de la nueva figuración madrileña y uno de los pintores más representativos en España. Aunque su obra pictórica es la más conocida, el artista se reivindica como “artífice”, mostrando así, su faceta de diseñador en las artes aplicadas. Mobiliario, forja, mosaicos, vestuario y decorados para teatro, carteles, cerámica o textiles como alfombras y tapices, son algunos de los campos en los que Villalta desarrolla su creatividad. Con ello, el artista defiende el trabajo manual, como fuente de autenticidad y placer, así como la búsqueda de la belleza en las cosas que rodean nuestra existencia cotidiana.

Guillermo Pérez Villalta en la Real Fábrica de Tapices

Villalta, ha considerado la creación para tapiz, como uno de los campos de expresión más atractivos y adecuados para sus propuestas estéticas y algunas de sus creaciones que no fueron pensadas inicialmente para llevarse a tapiz, se pueden conceptuar perfectamente como "*tapices pintados*". De este modo, se suscribe un convenio entre la Real Fábrica de Tapices y el artista, para traspasar cinco de sus composiciones originales a tapiz, dos de ellas, creadas expresamente para este fin.

En sus obras, se aprecian las similitudes con el arte textil en cuanto a diseño, representaciones y simbología, generalmente en un lenguaje sencillo y didáctico, que recuerda a las composiciones del arte medieval y en otras ocasiones llevando las representaciones y los elementos simbólicos a un nivel de lectura más complejo.

Vísperas de Pascua

Tapiz sobre diseño original de Guillermo Pérez Villalta

80 hilos/dm.

2,50 x 2,00 m.

2010

Propiedad de D. Carlos de Aragón Balboa-Sandoval

Creaciones en tapiz en la Escuela-Taller

Dos círculos espirales multicolores

Tapiz basado en el diseño original de Sonia Delaunay

Calidad 70 hilos/dm.

1,82 x 1,77 m.

2005

Propiedad del Ministerio de Cultura

Bodegón con botella de vino

Tapiz basado en el diseño original de Pablo Ruiz Picasso

Calidad 70 hilos/dm.

1,61 x 2,10 m.

El *Concurso III Centenario*

Con motivo de la conmemoración del III Centenario de fundación de la Real Fábrica de Tapices, en 2021, se convoca el *Concurso III Centenario para la creación de cartones para tapiz y bocetos para alfombra*. Con esta iniciativa se quiere dar continuidad al diálogo entre la manufactura y la cultura y los artistas contemporáneos y sirve al propósito de renovación de modelos y diseños de la manufactura. Con ello, además, se quiere poner de manifiesto, que el arte textil y las técnicas tradicionales preservadas en Real Fábrica de Tapices, son perfectamente compatibles con las nuevas ideas estéticas. La iniciativa, se convierte así, en una enriquecedora experiencia, que da cumplimiento a uno de los principales fines de la Fundación Real Fábrica de Tapices.

El concurso establece tres categorías de obras: cartones para tapiz, bocetos para alfombra de nudo turco, y bocetos de alfombra para nudo español. La convocatoria resulta un éxito, al recibir cuatrocientas cincuenta y seis propuestas de doscientos cincuenta artistas, de procedencia internacional.

Ligaduras

Tapiz sobre obra original de la artista Estefanía Martín Sánchez.

Finalista en la categoría de cartón para tapiz en el *Concurso III Centenario Real Fábrica de Tapices para cartones de tapiz y bocetos de alfombra*

2,00 x 1,50 m.

2025

La exposición de obras del *Concurso III Centenario*

Un jurado especializado, realiza una preselección de cincuenta y seis obras, de cincuenta y un artistas atendiendo a su interés estético y adaptabilidad a los especiales requerimientos del arte del tapiz y la alfombra.

El fallo final del Concurso y la producción de las obras finalistas.

Finalizada la muestra, el jurado anuncia las obras premiadas de cada categoría. La creación de las nuevas obras, requiere un trabajo previo conjunto por parte del artista y los artesanos tejedores, ya que supone la adaptación del diseño original, a un nuevo modelo a tamaño de la obra textil final, que será interpretado directamente por los tejedores.

La obra finalista de la categoría de cartón para tapiz *Ligaduras* diseñada por Estefanía Martín Sáenz, acaba de ser finalizada y se muestra en esta exposición. Las alfombras de nudo turco, *No pisar raya*, de María Cano Espinosa y de nudo español, *Desencaje* de Concha García Sánchez, se encuentran, actualmente, en proceso de ejecución.

No pisar raya

Boceto para alfombra de nudo turco, finalista en el *Concurso III Centenario, Real Fábrica de Tapices*

Obra original de María Cano Espinosa

Pastel sobre papel

0,50 x 0,65 m.

2022

2048 ALF

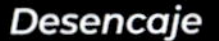

Desencaje

Boceto para alfombra de nudo español, finalista en el *Concurso III Centenario, Real Fábrica de Tapices*

Obra original de Concha García Sánchez

2,00 x 2,50 m.

2021

La creación de alfombra desde el siglo XIX y los últimos proyectos

Agualuna

Alfombra de nudo turco

Keiko Mataki

1999

Las alfombras se convirtieron, desde el siglo XIX, en los textiles en los cuales la expresión de la creatividad, va a poder encontrar su mayor campo de desarrollo. A finales del XIX y principios del XX, la irrupción de los movimientos *Art Nouveau* y *Art Déco*, las Vanguardias artísticas va a suponer una nueva fuente de inspiración que inundará los diseños de las alfombras, modificando su estética tradicional. Especialmente con la abstracción, se desarrollan multitud de composiciones de carácter geométrico. Este tipo de modelos, serán recurrentes hasta la actualidad, alternando siempre con la creación de ejemplares en estilos clásicos.

Creaciones de alfombra desde 1990

Desde finales de la década de los noventa, se realizan numerosas colaboraciones entre reconocidos artistas y la Real Fábrica de Tapices, para la creación de nuevas alfombras. En 1999, la fábrica solicita un diseño a la reconocida artista japonesa Keiko Mataki, interpretado en la gran alfombra *Agualuna*, de diseño abstracto y vibrante y contrastada gama cromática. Continuando en esta línea de potente colorido, en 2002 se tejió otra alfombra, con el reconocido modelo en forma de Corazón de la diseñadora Agatha Ruiz de la Prada. Mayor sensación de calma transmite la alfombra *La Alberca* de Alfonso Albacete, tejida en 2005, donde se muestra la quietud de la superficie del agua retenida en un estanque. Igualmente ocurre con las alfombras *El Día* y *La Noche* de Alberto Corazón de formas simples y abstractas y colores contrastados. Por el contrario, la alfombra *Collage* de Manuel Valdés, tejida en 2014, muestra una gran energía e intenso movimiento y colorido, debido al amplio campo central de diseño caleidoscópico que presenta, de diseño caleidoscópico.

Últimos proyectos de alfombra

En los últimos años, gracias a la convocatoria del *Concurso III Centenario* en 2021, se crean diversos modelos contemporáneos para alfombra, como los premiados *No pisar raya* o *Desencaje*, de las artistas María Cano Espinosa y Concha García Sánchez, que se llevarán próximamente al telar. También, a raíz de este concurso, la artista Martina Rodriguez, desarrolla una residencia artística en la que diseña y crea, de su propia mano, la alfombra de nudo español *Los Nardos* de impactante colorido y estética.

Otros interesantes proyectos se han llevado a cabo en 2023, con el artista Felipao y la creación de su alegre y multicolor alfombra *Amberes*, en la que la reconocida figura de su *Menina* aparece repetidamente en distintas posiciones, completando todo el campo de la obra textil.

Más sereno y clásico resulta el proyecto de 2024 de la artista Laura Torrado, que presenta un boceto a la fábrica para la creación de una alfombra, que dialogue con un grupo escultórico de Juan de Juni en la catedral de Segovia. El resultado es una bella y armoniosa pieza que introduce un toque contemporáneo, con el empleo de un potente fondo azul y complicados efectos en degradé, que resultaron un reto a la hora de realizar el tejido.

Compaginado los trabajos en sus técnicas tradicionales de nudo turco y español, la Real Fábrica ha desarrollado varios trabajos en técnica mixta, que suponen una incursión en las nuevas propuestas de creación. Así ocurrió con la empresa Iloema, que solicita varias piezas textiles para el recubrimiento de mobiliario, con diseños abstractos de rico colorido.

Otra interesante y novedosa propuesta en esta técnica, es la de la artista Laura Gibellini, que desea crear una alfombra basada en un dibujo de su hija Maya, acompañado por un texto a modo de nota o mensaje, utilizado por primera vez, como medio de expresión. El resultado es una obra muy novedosa y fresca que, mediante el empleo de zonas de relieve, acerca el textil al plano de la tridimensionalidad y muestra el lenguaje infantil basado en lo visual e intuitivo.

El más reciente proyecto de creación textil en los últimos meses, es el del artista residente de Real Fábrica, Gianluca Lattuada, que propone a la fábrica un trabajo de recuperación del remanente textil de alfombra para su transformación en nuevas obras, ofreciendo una segunda vida a este material. El artista, además, realiza el proceso contrario o "*de retorno*" de una creación tradicional de la manufactura, partiendo del material sobrante, para crear obras textiles y finalmente las obras pictóricas.

Técnica de nudo turco

Como su propio nombre indica, esta técnica, también denominada de nudo doble, procede de la zona de Turquía, pero se extiende rápidamente por toda Europa debido a la enorme belleza de las composiciones que permite representar.

Durante el siglo XIX, el éxito de este tipo de alfombra será tan importante que prácticamente desbanca a la alfombra de nudo español, para ser la protagonista en la decoración de salas de todos los palacios y mansiones.

Cada nudo toma dos hilos de urdimbre, pasando por la parte delantera y se gira hacia cada uno de los lados por la parte trasera. La urdimbre siempre es de algodón y el material de refuerzo de cada línea de nudos, de yute.

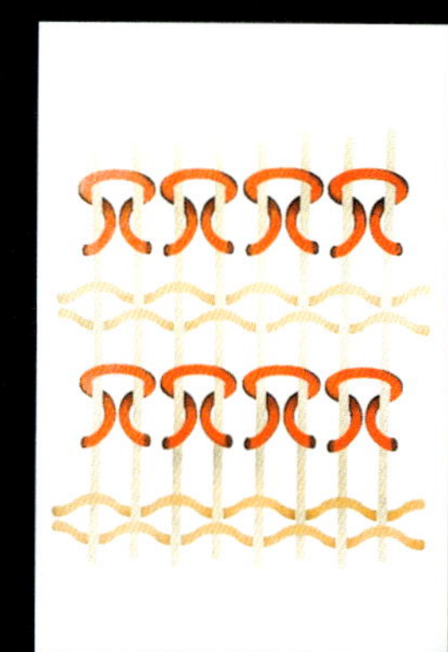

Alfombra de nudo turco

Reinterpretación en

fondo rojo

Estilo moderno abstracto

Sobre diseño de Faustino Álvarez de 1933.

2,00 x 3,00 m

2007

Alfombra de nudo turco en estilo moderno abstracto

Tejida según boceto original de Faustino Álvarez Quintana, de 1933, en Archivo Histórico Real Fábrica de Tapices.

2,00 x 3,00 m.

2007

Boceto para alfombra de nudo turco estilo "Moderno abstracto".

Faustino Álvarez Quintana.

Acuarela sobre papel.

27 x 33,4 cm.

1722 ALF

Archivo Histórico Real Fábrica de Tapices.

Boceto para alfombra de nudo turco estilo "Art Deco"

Acuarela sobre papel

27 x 16.6 cm.

1700ALF

Archivo Histórico Real Fábrica de Tapices

Boceto para alfombra de nudo turco estilo "Art Déco"

Acuarela sobre papel

19 x 27,5 cm.

0378 ALF

Archivo Histórico Real Fábrica de Tapices.

Alfombra en estilo “Art Nouveau”

Siguiendo el boceto original en Archivo Histórico Real Fábrica de Tapices

2,80 x 2,80m

2025

Colección particular

Boceto para alfombra de nudo turco estilo “Art Nouveau”

Acuarela sobre papel

15,5 x 11.5 cm.

0074 ALF

Archivo Histórico Real Fábrica de Tapices

La Alberca

Boceto para alfombra de nudo turco

0,87 x 0,64 m

Obra original de Alfonso Albacete

2004

1802 ALF

Archivo Histórico Real Fábrica de Tapices

Alfonso Albacete, pintor malagueño (Antequera, 1942), aunque pronto se traslada con su familia a La Alberca (Murcia) donde recibirá su primera formación, que posteriormente completa en Valencia y Madrid. Su estilo de su pintura se mueve desde el arte conceptual e ideologizado, a los modelos del expresionismo abstracto, para finalmente realizar una conciliación con lo figurativo por lo que se le asocia a la "*Nueva figuración Madrileña*". Sus géneros predilectos serán la figura humana el bodegón y el paisaje.

Según el propio artista, la idea para la alfombra supone la revisión de un boceto realizado a comienzos de los años ochenta, en el contexto de la serie Los Huertos, inspirada en los paisajes del Levante.

La Alberca

Alfombra de nudo turco

2,75 x 1.93 m

Según boceto de
Alfonso Albacete

2005

Es un ejemplo de lo que se ha denominado como "pintura silenciosa", en la que la expresión plástica surge de la experiencia interiorizada y destilada a través de la memoria.

El proyecto de la alfombra se empezó a gestar en el año 2004, cuando se produce el encargo de la Real Fábrica de Tapices. Albacete había tenido alguna experiencia previa en el campo del textil, pero desconocía el proceso de creación de este tipo de alfombras, para el que hizo una adaptación del boceto, implicándose después en la creación de la propia alfombra, mediante la selección personal de sus colores.

La alfombra se teje en 2005 por alumnos de la escuela-taller de Real Fábrica de tapices.

Manuel Valdés Blasco (Manolo Valdés)

Valencia, 1942

Es uno de los artistas españoles de mayor éxito y proyección internacional. Comenzó a cursar estudios en la Real Academia de Bellas Artes de San Carlos, pero pronto decide emprender una actividad creativa propia, que le llevará a participar en la fundación de dos colectivos míticos en el panorama cultural español. Por un lado, *Estampa Popular de Valencia* y, sobre todo, el *Equipo Crónica* (1964), junto a Juan Antonio Toledo y Rafael Solbes, con quien expone por primera vez en Turín y posteriormente en Valencia. En esta época practica una figuración muy cercana a la estética pop, de fuerte contenido social.

Cuando fallece Solbes, emprende una nueva etapa en la que da rienda suelta a su incansable curiosidad, cultivando todos los medios de expresión plástica, en los que mostrará su particular sello y originalidad: pintura, artes gráficas, collage y particularmente la escultura que irá evolucionando hacia lo monumental.

Valdés desarrolla una estética en la que lo orgánico y la calidad matérica cobran una importancia primordial, siempre en busca de texturas más informales, pero sin abandonar la figuración, ya que ésta continúa siendo la esencia de su concepto artístico. Llevará a cabo un constante diálogo con la Historia del Arte, mediante el cual logra apropiarse de las grandes obras maestras y reactivarlas. Artistas como Matisse, Monet, Rembrandt, Rubens y los españoles Velázquez, Ribera o Goya, son sometidos a un proceso de profunda relectura que los devuelve al plano de lo contemporáneo.

Encontramos la obra de Valdés presente en las colecciones más prestigiosas tanto en España: Museo Nacional Centro de Arte Reina Sofía, Fundación Juan March, Instituto Valenciano de Arte Moderno, Museo Patio Herreriano de Valladolid, como a nivel internacional: Metropolitan Museum of Art en Nueva York, Centre Georges Pompidou en París, Kunstmuseum de Berlín.

Fuera de los museos, sus obras escultóricas decoran numerosas ciudades del mundo, de forma permanente o instalándose de forma temporal en sus calles a modo de museo al aire libre. Particularmente destacadas son las exposiciones realizadas en Nueva York y Bryant Park (2007) Broadway (2010) y Botanical Garden (2012), en la Place Vendôme de París (2016), así como la espectacular exhibición itinerante de Meninas, que tuvo como sedes las ciudades de París, Zúrich y Oviedo (2005).
Su ciudad, también ha acogido varias de sus exposiciones como las que tuvieron sede en el Institut Valencià d'Art Modern (1996), el Almudín (2102), o en la Fundación Bancaja y en la Ciudad de las Artes y las Ciencias (2017). Además, le fue otorgado el premio Valencianos del Siglo XXI (2004). Valdés continúa en la actualidad con plena vigencia e incansable actividad artística. Su última exposición en Madrid, *Allegro* combinó piezas de escultura y pintura, donde el hilo argumental giraba en torno a la figura de la Menina, mostrada desde diferentes perspectivas y experimentando con materiales como la cerámica, la resina o el pan de oro.

Manuel Valdés en la Real Fábrica de Tapices

El artista llevaba algún tiempo pensando en la idea de crear alfombras y tras una visita a la fábrica en 2004, comenzó el diseño de su alfombra *Collage*. La visualización de la labor de las tejedoras y su universo de lanas y colores, propició un proceso de reflexión sobre la alfombra anudada como objeto artístico. Tras realizar varios diseños, finalmente lo resuelve con un gran campo central, donde simula una representación caleidoscópica. La creación de la alfombra, supuso un verdadero reto para el equipo de Real Fábrica de Tapices, ya que hubo que traducir al tejido de nudo una rica variedad de texturas y emplear una exultante gama cromática nada habitual en la alfombra clásica. Se recurre a procedimientos como el empleo de lanas en degradé, sometidas a un proceso de tintura no homogéneo, para conseguir irregularidades tonales en la misma madeja, o la mezcla de hebras de colores distintos en el mismo nudo para obtener un efecto de jaspeado.

Boceto para alfombra

"Collage" (detalle)

Boceto para alfombra de nudo turco

Collage fotográfico sobre cartón pluma

0,74 x 1,15 m

2048 ALF

Archivo Histórico Real Fábrica de Tapices

Vista general del tejido de la alfombra en el telar

Proceso de tejido

Madejas de lana con tintadas especiales para este proyecto

Proceso de tejido

Alfombra *Collage* finalizada

Amberes

Alfombra de nudo turco
en estilo contemporáneo

Tejida sobre diseño original
del artista Felipao

1.43 x 2.03 m

2024

Real Fca. de Tapices
MD 2019
AGATHA RUIZ DE LA PRADA

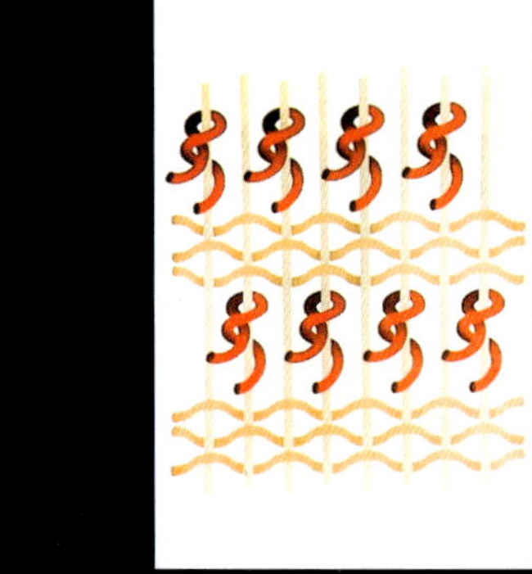

La técnica de nudo sencillo, seguramente procedente de la cultura copta e introducida en la península por los musulmanes, tendrá un enorme desarrollo durante los siglos XVI y XVII, quedando reducida a una mínima producción en el siglo XIX, hasta casi desaparecer.

Desde hace unos años, en Real Fábrica de Tapices se ha desarrollado un intenso trabajo para que esta técnica de nudo español sea preservada oficialmente por las Administraciones. Así, recientemente la Dirección General de Patrimonio y Bellas Artes la ha declarado Patrimonio Cultural Inmaterial, consiguiendo con ello su reconocimiento y preservación, siendo en la actualidad la Real Fábrica de Tapices la única manufactura en activo en la que se trabaja.

Cada nudo se realiza tomando un solo hilo de urdimbre y alternando un hilo suelto y otro anudado y realizando una doble vuelta. Los hilos de la urdimbre son de lino, así como el material de refuerzo de cada línea de nudos finalizada.

Los nardos

Alfombra de nudo español

Diseñada y tejida por la artista Martina Rodriguez Morán, durante su residencia artística en Real Fábrica de Tapices

Lana merina y lino

1,50 x 1,50 m.

2023

Flores y geometrías

Alfombra de nudo español

Lana merina y lino

1,50 x 2,20 m.

2021

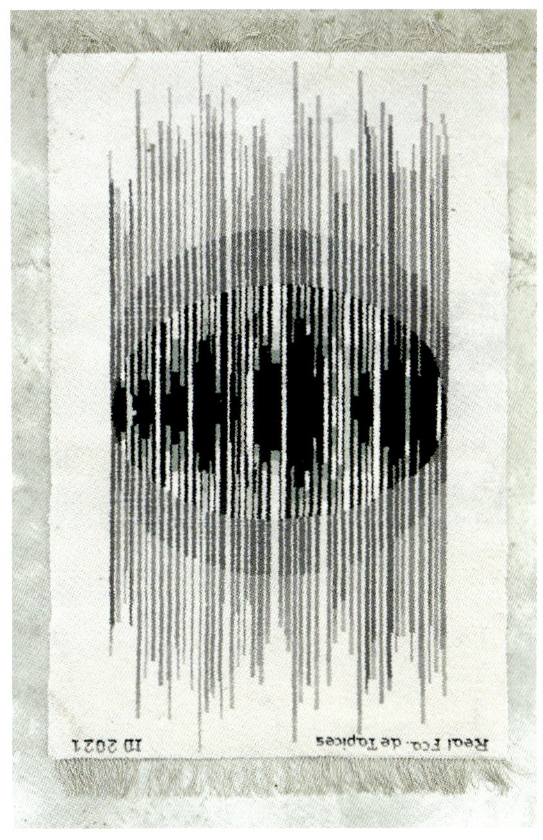

Alfombra diseño abstracto

Alfombra de nudo español

Lana merina y lino

1,50 x 2,20m.

2021

Otros trabajos en técnica mixta

Perro de paseo

Alfombra tejida
en técnica mixta
(nudo turco y tapiz)

Estilo contemporáneo

Tejida sobre dibujo
infantil original de
Maya, hija de la artista
Laura Gibellini

1,15 x 0,81 m.

2024

Otomanes

Recubrimiento de piezas de mobiliario

Técnica mixta (nudo turco y tapiz)

Estilo contemporáneo

Tejidos sobre diseño original del artista Antoni Ballester Moreno

0,50 x 0,50 x 0,50 m.

2024

Últimas colaboraciones artísticas en RFT

Un cuerpo respirando en medio de la nada

Pintura original del artista Gianluca Lattuada. Realizada durante su residencia artística en Real Fábrica de Tapices

Acrílico sobre lienzo

1,00 x 0,81 m.

2025

La insoportable necesidad de encontrar luz en la oscuridad

Obra original del artista Gianluca Lattuada. Realizada durante su residencia artística en Real Fábrica de Tapices

Bordado de lana sobre bastidor partiendo de material de reciclaje de Real Fábrica

0,40 x 0,25 m.

2025

La belleza de ser dos cosas al mismo tiempo

Obra original del artista Gianluca Lattuada. Realizada durante su residencia artística en Real Fábrica de Tapices

Bordado de lana sobre bastidor partiendo de material de reciclaje de Real Fábrica

0,90 x 0,60 m.

2025.

Este catálogo ha sido editado con motivo de la exposición *Real Fábrica de Tapices: Obra moderna y contemporánea*, organizada por el Museo de la Evolución Humana, Fundación Siglo para el Turismo y las Artes de Castilla y León, Consejería de Cultura, Turismo y Deporte, Junta de Castilla y León y la Real Fábrica de Tapices

BURGOS NOVIEMBRE 2025